KB125494

책 읽기가 만만해지는

이과식 독서법

이과식 독서법

필요한 만큼 읽고
원하는 결과를 내는 힘

가마타 히로키 지음 | 정현옥 옮김

리더스북

독서를 포기하지 마십시오

독서 방법에 관한 책은 세상에 널리고 널렸다. 내용이 딱딱할 수도 있고 쉬울 수도 있지만 어쨌든 독서법을 다룬 책은 그 수가 엄청나다. 이런 상황에서 이 책은 어떤 효용이 있을까. 이 책의 차별점이 궁금한 독자를 위해 책을 쓴 목적을 처음부터 밝혀두는 게 좋겠다. 이 책은 한마디로 책 읽기에 소질이 없는 사람을 위한 독서법 입문서다. 독서가 힘든 사람에게 기초 중에서도 아주 기초적인 독서법을 전수하고자 한다.

대학생을 비롯한 청년들이 책을 점점 멀리하는 추세다. 독서 자체에 겁을 낸다고도 할 수 있다. 가르쳤던 학생 하나는 "책 읽기가 벌서는 것 같아요."라고 토로했다. 독서가 살아가면서 무엇과도 바꾸지 못할 즐거움인 내게 그 말은 충격이었다.

특히 (나도 이공계 출신이지만) 이공계 출신은 대부분이 책 읽는 일에 뭐라 표현하기 어려운 피해의식을 가지고 있는 것 같다. 이들은 독서에 관한 한 마음에 빗장을 채우고 있다. 이 빗장을 풀고 책을 대하면 독서가 분명 즐거울 텐데 말이다.

책 읽기를 어려워하는 초심자에게 유용한 방법을 전하는 책의 제목에 굳이 '이과'를 붙인 이유는, 이과 출신으로 국어나 역사 과목에 흥미가 없던 내가 물론 필요해서 책을 읽긴 했으나 결과적으로 독서 노하우를 찾아냈다는 데 의의를 두었기 때문이다. 즉 독서의 고충을 충분히 맛보았기에 초심자에게 도움이 될 만한 기술을 알려줄 수 있다는 뜻이다.

또 한편으로는 오랜 세월 이과 학문을 연구하고 논문을 쓰고 학생을 가르치며 터득한 '이과식 방법론'이 독서에도 유용함을 깨달았기 때문이다.

책 읽기가 힘겹다면

책 읽기가 힘든 사람은 독서에 시간을 어느 정도 써야 좋을까? 독서를 벌서는 것처럼 여기지 않으려면 책을 즐겁게 읽을 수 있는 방법부터 찾아내야 한다. 이를 위해 나는 먼저 독서가 왜 필요한가, 왜 지금 책을 읽어야 하는가에 대한 답을 얻는 작업부터 시작하자고 제안한다. 독서가 필요한 이유가 명확해지면, 그 필요한 부분을 먼저 채우면 된다. 가능한 한 편하게 독서를 마쳐 최소한의 할당량을 달성하기. 이것이 1부의 중심 내용이다.

현대사회는 모든 사람에게 다양한 정보를 처리할 능력을 요구한다. 빠르게 변하는 사회에 발 맞추기 위해 우리는 많은 지식을 습득해야 한다. 산더미처럼 쌓인 문서를 읽어야 하고 때로는 두꺼운 책을 독파해야 한다. 이런 상황에서 독서에 어려움을 느끼는 사람은 여기저기에서 고전을 면치 못한다. 현대사회에서 살아남으려면 사회가 요구하는 문장을 제대로 읽을 수 있어야 한다.

교토대에서 교편을 잡은 지 스무 해가 넘어가는데, 책 읽기를 어려워하는 학생들의 고민을 자주 상담해준다. 교양 과목인 지구과학을 가르칠 때도 이과식 독서 요령을 알려주곤 한다. 구체적으로는 책 고르기와 읽기, 정리, 메모 등에 관한 방법이다.

학생들과 대화하다가 알게 된 의외의 사실. 대학 입시를 갓 치른 새내기들은 책 읽기에 관해 어디에서도 배운 적이 없다. 그런 상태로 교수들이 지정한 두꺼운 전공서와 맨땅에 헤딩하듯 씨름한다. 이러면 아무리 명석한 교토대생이라 해도 책을 멀리하게 되지 않겠는가.

물론 해외 고전문학이나 철학서를 읽고 삼삼오오 모여 이야기를 나누는 학생들도 있다. 나름대로 흐뭇한 광경이지만, 독서 기술을 터득하지 못한 학생은 그 자리가 가시방석일 터다. 열등감에 사로잡힐 수도 있다.

나는 이 열등감에 적절한 처방을 주고 싶었다. 소설이나 철학책도 만만하게 읽을 수 있는 기술을 알려줘야겠다고 마음먹었다. 대학생뿐 아니라 사회생활을 하는 직장인, 책 읽기가 익숙하지 않은 중장년층까지 독서를 어렵게 여기는 사람이라면 누구나 해당한다.

시중에 나온 독서 관련 도서들은 책을 이미 좋아하는 사람을 대상으로 만든 경우가 많고 책 읽기를 어려워하는 사람을 위한 뱃사공 역할은 의외로 해내지 못한다. 독서에 열등감을 가진 사람의 마음을 헤아리지 못한 독서 달인들의 저서가 많다는 뜻이다. 그래서 나는 수업 시간에는 학생들에게, 강연에서는 직장인과 은퇴자 들에게 초심자를 위한 책 선택과 책 읽기 방법을 전수해왔다.

이 책은 지금까지 내가 사람들에게 안내해온 독서법을 기본으로 재구성했다. 독서법에 관해 내가 가장 크게 고민한 점은 가벼운 에세이, 교양 서적부터 고전, 명저는 물론 어려운 전문 서적이나 낯선 과학 서적까지 통틀어 독서에 일가견이 없는 사람들을 위해 책 읽기 문턱을 어떻게 낮추는가였다.

그래서 1부에서는 누구나 마음 편히 책을 읽을 수 있는 합리적인 방법에 관해 다룬다. 책을 더 이상 어려워하지 않고 독서 자체를 좋아하게 되는 것을 목표로 설정했다.

일과 공부에 효과적인 독서법

독서에는 또 한 가지 중요한 역할이 있으니, 바로 정보 인풋이다. 책에 쓰인 긴 문장을 효율적으로 읽는 기술은 누구에게나 필요하다. 그래서 2부에서는 일과 공부를 위한 정보처리 기술로서 효과적인 독서 방법을 설명한다. 이해하기 쉽도록 내 경험담을 적절히 섞어보았다.

나는 교토대로 옮기기 전에 지질학을 연구하는 학자로 국립연구소(통상산업성 지질조사연구소)에서 19년 정도 근무했다. 당시 연구와 행정 업무를 병행하며 헤아릴 수 없이 많은 문서를 읽어야 했다. 대학교로 적을 옮긴 후로도 20년 동안 교육과 연구를 본업으로 삼았으니, 햇수로 40년간 뭔가를 읽으며 일해온 셈이다.

어쨌거나 주된 업무는 무수한 활자 속에서 필요한 정보를 추출하고 그 안에서 본질을 꿰뚫어 추론을 세운 뒤 결론을 도출하는 작업이다. 다시 말해 초입에는 정보 인풋을 위한 독서가 필요했고, 그다음에는 학술논문이나 저서로 담아내는 아웃풋 과정을 거쳤다. 인풋은 후반의 아웃풋을 위해 필수불가결한 작업이므로 나는 이런 목적에 특화한 독서 방법을 터득했다. 인풋에 투자할 수 있는 시간과 에너지는 한정돼 있다. 따라서 효율적으로 정보를 얻는 노하우를 습득할 수밖에 없었던 것이다.

일이나 공부를 좀 더 쉽게 할 수 있는 독서법, 즉 아웃풋을 우선시하는 독서법이 2부의 주요 테마다. 1부가 즐겁게 읽기 위한 독서법이라면 2부는 효율을 극대화하기 위한 독서법이라 해도 좋다.

이과식 업무 노하우는 기노시타 고레오가 쓴 『과학 글쓰기 핸드북』(사이언스북스)에서도 찾아볼 수 있다. 이 책이 베스트셀러가 된 것은 문과, 이과를 불문하고 많은 독자에게 도움을 주었기 때문이라고 본다. 연구자인 내가 실천해온 아웃풋 우선의 기술 역시 과학자만의 것이 아니라 어느 분야에서건 효율적으로 학습하고 일하는 데 크게 도움을 주는 방법이다. 서적, 보고서, 논문을 읽기 위한 이과식 정보처리 기술은 누구나 활용할 만한 가치가 있기 때문이다.

여기에서 '이과식'이라고 말하는 데는 근거가 있다. 나는 이과의 학문적 전통에는 본질을 추출하기 위한 합리적인 지적 노하우가 있다고 생각한다. 개개의 현상을 미시적으로 보는 것이 아니라 전체 구조를 거시적으로 파악하는 방법론으로, 나는 이것을 '이과식 구조주의'라 칭한다. 따라서 이 책은 말하자면 이과적인 구조주의와 정보처리 기술을 독서법에 응용한 것이라 하겠다.

아웃풋 중심의 독서법은 과학 아웃리치(계발 혹은 교육 활동)에서도 기본을 이룬다. 아웃리치는 비전문가용 콘텐츠를 알기 쉽게 소개하는 일로, 방대한 자료를 읽고 분석해 전달해야 한다. 총 세 권인 『지구의 역사』를 집필할 때에는 내 전공이 아닌 분야의 책까지 읽고 내용을 요약해야 했다. 난해한 문장을 만나도 그대로 읽어들이고 내용을 흡수해 정해진 마감 기한 안에 글을 써야 했기에 인풋을 아웃풋까지 가장 효과적으로 끌고 간

작업의 집대성이라 할 만했다. 이 과정에서 얻은 교훈도 2부에 함께 실었다.

읽지 않는 독서법

마지막 부분에서는 독서법의 상급편이라 할 만한 내용을 다룬다. 독서가 흥미로워지면 누구나 책꽂이에 책을 늘리기 시작한다. 독서를 멀리하던 시기에는 전혀 문제가 되지 않던 고민이 생기는 것이다.

나 역시 마치 새끼를 치듯 어느 순간 집이 책들로 넘치게 되었다. 주거 공간을 침범당하는 것도 모자라 바닥이 뚫릴까 걱정하는 지경에 이르렀다. 어떻게든 대처하고 싶었지만 유감스럽게도 해결하지 못했다. 책은 물성을 가진 존재로 자리를 차지한다. 그러므로 책을 취급하는 방법은 독서가라면 꼭 터득해야 할 요령이다.

사실 여기에는 '나에게 과연 어떤 책이 필요한가?'라는 근본적인 문제가 숨어 있다. 그래서 늘어나는 책을 어떻게 처리할지를 두고 내가 겪었던 시행착오와 변화의 경험을 나누고자 한다. 나아가 인생에서 책이 지니는 의미를 고찰하면서 '책에 읽히지 말 것', '책을 멀리할 것'이라는 메시지와 더불어 꼭 필요한 책을 선별하는 방법을 풀어놓았다.

덧붙여 이 책조차 차분히 읽을 여유가 없는 독자라면 각 장의 주요 내용을 단시간에 파악할 수 있는 방법이 있다. 이 책은 각 장마다 앞머리에 주요 '포인트'를 추려 제시한다. 또 핵심이 되는 내용을 발췌해 별면으로 배치했다. 이 부분들만 훑어도 대략적인 요지를 파악할 수 있을 것이다.

차례

2부

◇

일과 공부에 효과적인 독서법

보충수업

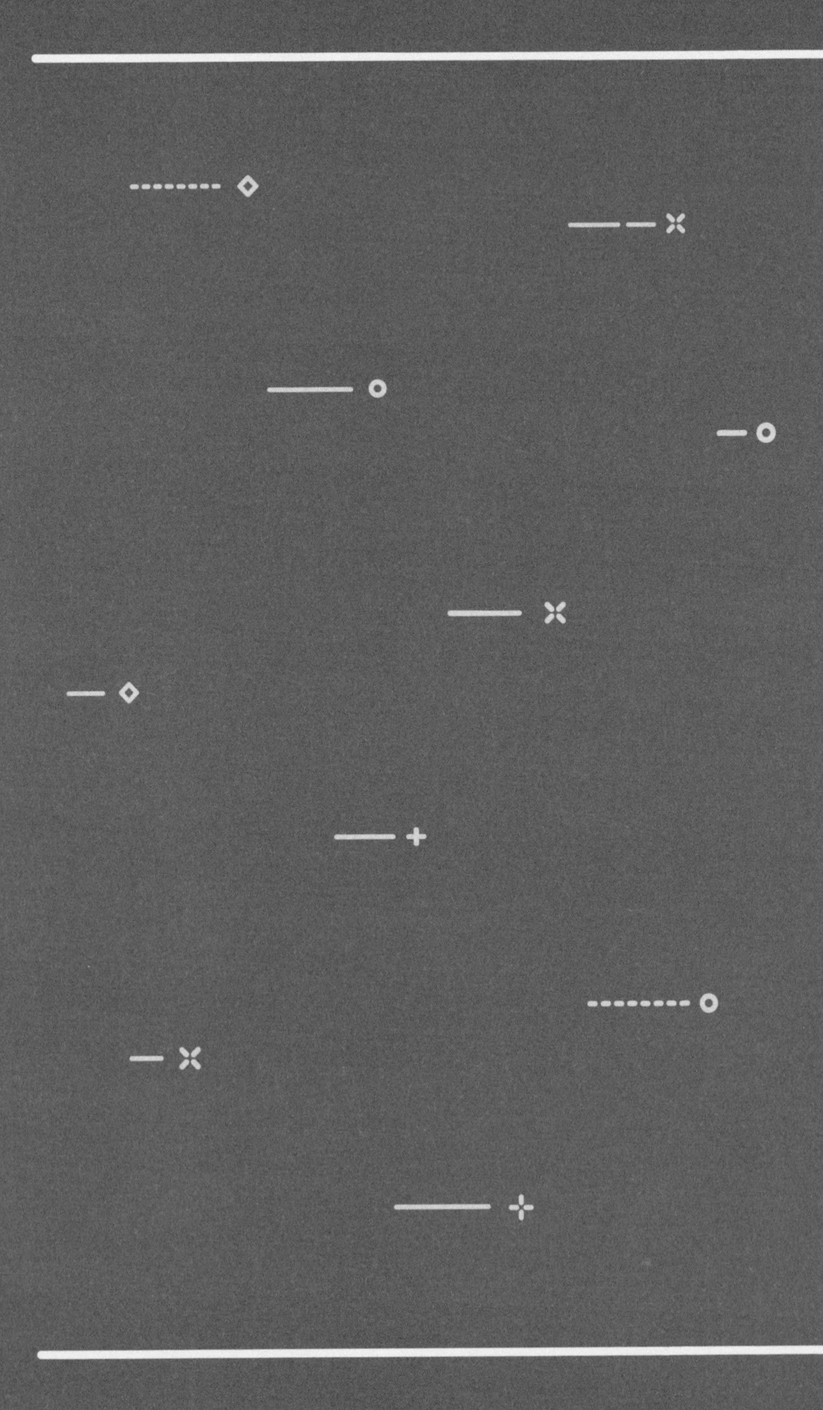

1부

◇

책 읽기가 힘겨운 사람을 위한 독서법

1장

책과 친해지기

1장의 포인트

읽다가 도중에 그만둬도 된다
딱 15분 동안 집중해서 읽는다
미술 작품을 보듯 읽는다

책 읽기를 어려워하는 사람이 많다. 이들은 책에 압박감부터 느낀다. 어떤 이유로 두툼한 책을 읽어야 한다고 치자. 과제를 제출해야 하거나 업무상 읽어야 하는 경우다. 혹은 친구가 소설을 추천해주기도 한다. 책을 빌려주는 것은 고마우나 여덟 권짜리 시리즈라면? 어떤 이유건 책을 좋아하지 않는 사람에겐 불편하거나 불안할 수밖에 없는 상황이다. 이럴 때 현명한 대처법이 있을까?

1장에서는 책 읽기를 어려워하는 사람들이 고민을 해결할 수 있는 생각과 기술을 전해주고자 한다.

나 역시 일을 하다 보면 한자투성이에 엄청나게 두꺼운 책을 읽어야 할 때가 있다. 서점에 가보면 경악할 만큼 두꺼운 명서

들이 평대에 진열되어 있고 또 그런 책들이 꽤 잘 팔리는 눈치다. 경영학, 문학, 지구 온난화 등 어떤 분야에서든 사전에 버금갈 정도로 페이지 수가 많은 책들이 유통되고 있다. 심지어 그런 서적이 신문이나 잡지 서평란에 등장해 '읽지 않으면 뒤처진다!'라는 위화감을 조성하기도 한다. 인터넷 사용이 보편화한 덕분에 어떤 정보든 쉽게 얻을 수 있지만 그렇다고 해서 종이책이 제공하는 정보를 결코 무시할 수는 없다. 정보가 흘러넘치는 세상에서 살아남아야 하는 일은 독서 세계에서도 예외가 아니다.

그렇다면 무엇이 문제인지 짚어보자. 독서에 흥미를 갖지 못하는 사람의 고민은 크게 다섯 가지로 나뉜다.

첫째, 겁이 나서 시작하지 못한다.

둘째, 읽기 시작했으나 끝을 보지 못한다.

셋째, 읽을 시간이 없다.

넷째, 책에 맞는 독서법을 모르겠다.

다섯째, 독서가 애당초 왜 필요한지 모르겠다.

이제부터 이 다섯 가지 고민을 차근차근 검토해보자.

첫 번째 고민,
시작하지 못한다

이 세상에는 책을 읽는다는 행위를 마뜩잖아 하거나 귀찮아 하면서 책의 첫 장을 펼치기 힘들다고 호소하는 사람이 많다. 독서에 대해 사람들이 지닌 '마음의 장벽'이 생각보다 높은 것이다. '들어가며'에서도 언급했지만, 책 읽기에 도가 텄을 것 같은 교토대 재학생 중에도 이런 고민을 하는 학생이 적지 않다.

하지만 책 읽기를 어려워하는 사람을 도와주는 기술은 분명히 존재한다. 바로 독서 습관 들이기다. 매일 조금씩이라도 책을 접하려고 노력하는 것이다. 어떤 상황에서건 '배우기보다 익혀라.'라는 명언은 진리다. 독서도 마찬가지라 뛰어난 기량을 익히기보다 독서 자체에 친숙함을 느껴야 독서 기술도 는다. 독서에 익숙해지기 위해 일단 문턱을 낮춰 책을 선택하면 대부분 읽기에 성공한다. 추리소설이건 자기계발서건 상관없다. 아동서부터 출발해도 괜찮다.

한번 읽어보니 재미있었다는 감상이 절로 우러나는 책이라면 장르나 스타일은 아무래도 좋다. 이런 경험을 쌓는 것이 '배우기보다 익혀라.'라는 말이 지닌 참뜻이다. 습득하는 과정이 쌓이다 보면 어느 순간 독서 자체에서 즐거움을 느낄 것이다.

여기에는 '무엇에건 시간을 투자하면 재미를 발견한다.'라는 지적 활동의 법칙이 존재한다. 독서에 시간을 어떻게 투자할지에 관해서는 나중에 설명할 예정이니 일단은 잠깐이라도 책을 만나는 것이 중요하다는 점을 기억하자.

애초에 책에 손이 가지 않는 사람이라면 책을 늘 보이는 곳에 두면 좋다. 리모컨과 책을 나란히 놓고 TV를 시청한다거나 스마트폰과 책을 함께 들고 다니는 식이다. 외출할 때에는 가방에 작은 크기의 책을 집어넣자. 화장실에도 한 권 가져다 두자. 이 정도면 책이 어디에나 늘 따라다니는 부적 같을 것이다. 손을 뻗기만 하면 책을 만질 수 있는 상황을 미리 만들어두면 겁이 나서 첫 페이지를 넘기지 못하겠다는 고민에서 벗어날 수 있다. 이는 독서 시간을 비약적으로 늘릴 수 있는 방법이기도 하다.

스마트폰과 책을 함께 들고 다닌다는 말은 스마트폰에 받아 놓은 전자책을 말하는 것이 아니다. 손으로 만질 수 있는 종이책이 좋다. 전자책을 읽으려고 스마트폰을 켜자마자 게임 앱을 누를 수 있기 때문이다.

나는 이런 접근을 '마중물(펌프질 전에 물을 끌어올리기 위해 미리 붓는 물)법'이라 부르는데, 시스템만 갖추어져 있으면 노력이나 근성 없이도 독서가 시작될 수 있음을 뜻한다. 책이 리모컨

옆에 놓여 있다고 해서 책을 먼저 읽으라는 말이 아니다. TV를 보고 나서 잠자리에 들기 전까지의 짧은 시간에 몇 페이지라도 들춰보면 된다.

표지를 살펴보거나 책 띠지에 적힌 문구만 읽어도 책을 읽은 것이나 진배없다. 요는, 독서에 대한 쓸데없는 마음의 장벽을 낮춰 충분히 읽을 만하다는 자신감을 얻는 것이다.

중요한 또 한 가지. 책의 마지막 장까지 도달하지 못해도 상관없다고 미리 다짐하자.

두 번째 고민,
끝까지 읽지 못한다

책을 읽기 시작했으나 도중에 내팽개쳐 버리는 경우도 적지 않다. 그런 식으로 포기해버린 일이 짜증스러운 기억으로 남고, 종국에는 원래 좋아하지도 않던 책이 더욱더 싫어지는 악순환이 이어진다.

또 책을 읽는다고 들고 있어도 좀체 집중하기 어렵다는 고충을 토로하는 사람도 많다. 5분만 지나도 책 읽기가 질리고 다른 일을 하고 싶어 좀이 쑤신단다. 이런 사람 눈에는 몇 시간이나 책을 붙들고 앉아 있는, 소위 책벌레라 불리는 부류가 신기하게 보일 따름이다.

결론부터 말하자면 책은 착실하게 읽지 않아도 괜찮다. 도중에 '이 책은 별로 재미없네.'라는 생각이 들면 그 지점에서 멈추어도 좋다. 책을 읽다 보면 '내 생각과 다르네.'라거나 '가치관이 안 맞아.'라면서 반감이 들 때가 있다. 저자와 성장 배경이 너무 달라 공감하기 어려운 경우도 있다. 그런 때에는 읽기를 깨끗하게 그만둬도 상관없다.

저항감이 발생한 데에는 이유가 있을 텐데 억지로 끝까지 읽을 필요가 있겠는가. 머릿속에 쏙쏙 들어오는 같은 분야의 다른 책이 분명 있으므로 자신에게 맞는 책으로 갈아타면 된다. 자신과 맞지 않는 책을 붙잡고 늘어지는 일은 시간 낭비이며, 그런 상태로 읽기를 계속한다면 독서가 싫어질 수밖에 없다.

독서란 책을 읽고 어떻게든 '의미'를 깨달으면 족한 것으로, 그 의미가 남들과 달라도 상관없다. 책을 읽는다는 행위는 그다지 딱딱한 게 아니다. 적당히 해도 좋으니 자신과 가장 어울리는 책 읽기를 하면 된다.

나는 독서에 관해 많은 사람이 가지고 있는 오해를 바로잡고 싶다. 사람들은 대부분 책 읽는 행위를 공부인 양 받아들인다. 책은 한 문장, 한 문장 뜻을 생각하면서 세밀하게 읽는 작업이 책은 착실하게 읽지 않아도 괜찮다. 독서란 책을 읽고 어떻게든 '의미'를 깨달으면 족한 것으로, 그 의미가 남들과 달라도 상관없다. 책을 읽는다는 행위는 그다지 딱딱한 게 아니다. 적당히 해도 좋으니 자신과 가장 어울리는 책 읽기를 하면 된다. 사람이건 책이건 궁합이라는 게 있다. 궁합이 나쁘면 초반에 관계 맺기를 멈추어야 한다. 아무리 기를 써도 진도가 나가지 않는 책은 궁합이 나빠서라고 결론 짓고 자신과 맞는 책으로 갈아타자. 내 경험상 나와 어울리는 책은 어딘가에서 꼭 나타난다.

며 내용을 모조리 머릿속에 넣어야 한다고 생각하는 것이다. 무의식중에 이런 의무감이 발동하는데, 이것이 독서를 멀리하게끔 만드는 원인으로 작용한다.

내게도 도저히 손이 가지 않는 책이 있다. 구입하기는 했으나 읽어도 무슨 내용인지 하나도 알 수 없다. 제아무리 독서의 달인이라도 이런 공교로움을 피할 수 없다. 내가 독자들에게 꼭 하고 싶은 말은, 누구에게나 읽기 어려운 책이 존재한다는 새삼스럽지도 않은 사실이다.

사람이건 책이건 궁합이라는 게 있다. 궁합이 나쁘면 초반에 관계 맺기를 멈추어야 한다. 아무리 기를 써도 진도가 나가지 않는 책은 궁합이 나빠서라고 결론 짓고 자신과 맞는 책으로 갈아타자. 내 경험상 나와 어울리는 책은 어딘가에서 꼭 나타난다. 책이건 사람이건 인연이 있으니 살아가다 보면 반드시 만난다. 그러니 나와 맞지 않는 책은 읽지 않는 것을 원칙으로 삼아도 좋다.

음악적 독서와 회화적 독서

중간에 읽기를 그만둬도 되는 책과 그만

두기 어려운 책이 있다. 책은 이렇게 두 종류로 나뉜다. 중간에 그만두어도 좋은 책은 마음에 드는 부분부터 읽어도 되고 건너뛰며 읽어도 괜찮다. 읽는 동안에는 집중해야 하지만 어디에서 멈춰도 상관없다.

이와 달리 마지막까지 읽지 않으면 의미가 없는 책이 있다. 영화를 생각해보자. 영화는 처음부터 끝까지 봐야 내용을 이해할 수 있으며 시간의 흐름을 온몸으로 체험할 수 있다. 음악 또한 연속적으로 흐르는 시간 속에서 이해할 수 있다.

반대로 미술관에 전시된 회화는 어느 작품부터 봐도 상관없다. 각자 시간에 맞춰 감상하거나 마음에 드는 그림만 봐도 된다. 다시 말해 불연속적인 시간 속에서 정보를 얻을 수 있다. 마찬가지로 세밀하게 쪼개진 시간 단위로 읽어야 하는 책이 있다. 아무리 여러 번 쪼개도 책 읽기가 거듭되면 그에 알맞은 정보를 얻을 수 있다.

음악과 회화의 차이처럼 독서에도 이런 차이가 존재한다. 바로 '음악적 독서'와 '회화적 독서'라는 두 가지 독서 방식이다. 그리고 독서의 문턱을 낮추고 싶다면 비연속적인 방법인 회화적 독서부터 익히면 좋다.

설명을 덧붙이자면, 음악적인 독서는 소설 등 문학작품을 읽을 때 유용하다. 도입 부분부터 상황이나 등장인물과 면밀하게 부딪히면서 소설이 만들어내는 세계에 빠져들어야 하기 때문이다. 추리소설을 읽을 땐 범인이 누구일지 추리력을 발동하면서 책장을 휙휙 넘긴다. 손에 땀을 쥐고 페이지를 넘기는 순간도 있으리라. 이런 책들은 인쇄된 문자를 처음부터 순서대로 읽어가는 것을 전제로 쓰였으며, 독자도 그 리듬에 맞춰 읽어야 한다. 그리고 이 방법에는 그다지 기술적인 요소가 필요 없다. 잡생각을 없애고 그저 책에 몰두하면 된다.

그러나 이 책에서는 회화적 독서 기술을 장려하고자 한다. 바꾸어 말하면 문학작품이나 추리소설 외의 책들은 이 책에서 제안하는 독서법으로 편리하게, 그리고 효율을 높이며 읽을 수 있다. 책 한 권을 한정된 시간 안에 읽어내려면 회화적인 독서가 안성맞춤이다.

문학작품 중에도 회화적인 독서가 어울리는 책이 있다. 장편이나 고전이라 불리는 문학작품이 이에 속한다. 톨스토이의 『전쟁과 평화』나 마르셀 프루스트의 『잃어버린 시절을 찾아서』와 같이 여러 권에 달하는 장편소설을 음악적인 독서로 읽기는 쉬운 일이 아니기 때문이다. 이런 작품을 오락으로 즐기며 읽는 것 자체는 높이 살 만하지만, 교양을 위해 일부분만 추려내는 방식의 읽기도 적절하다고 생각한다. 전혀 읽어본 적이 없는 것보다는 조금이라도 들춰본 것이 훨씬 낫지 않은가.

이런 때에는 장편의 개요나 주요 내용을 소개한 '줄거리로 읽는 ○○○' 류의 책이 도움이 된다. NHK-E에서 방영하는 〈100분 동안 읽는 고전〉(매달 도서 한 권을 선정해 여러 출연자가 읽고 매주 다른 주제를 정해 이야기를 풀어가는 교양 프로그램—옮긴이)도 편리한 도구다. 이런 미디어를 활용하는 읽기도 마중물 법에 해당하며 회화적인 독서를 실천하는 장이 될 수 있다. 그 안에서 문호들이 써 내려간 의미에 귀 기울이면 된다.

독서용 디바이스 활용하기

컴퓨터의 마우스나 키보드처럼 독서에도 디바이스라는 것이 있다. 마우스와 같은 실제 도구는 아니고, 독서를 덜 부담스럽게 만들어주는 소프트웨어적 기술을 독서에 필요한 디바이스라 부르기로 하겠다.

이 책에서는 효과적인 독서를 위한 다양한 디바이스를 소개하려 한다. 앞서 소개한 '줄거리로 읽는 ○○○' 시리즈나 〈100분 동안 읽는 고전〉도 장편의 개요를 간단하게 이해하기 위한 디바이스다.

독서 디바이스는 굉장히 편리하다. 물론 이런 도구들을 이용해 고전 작품을 읽는 건 수치라고 생각하는 사람이 분명 있다. 그러나 아예 모르는 것보다는 무엇을 통하든 알고 있는 편이 낫다.

솔직히 말하자면 나도 과거에 이런 도구들을 꽤 잘 활용해 두껍고 난해한 책의 내용을 파악하곤 했다. 독서 시간을 무한대로 확보할 수는 없으니 수많은 작품의 내용을 디바이스를 이용해 인풋해온 것이다.

또 신문이나 잡지 등에 실린 서평만 읽고 책은 정작 찾아보지도 않는 경우도 많다. 서평을 읽는 것만으로도 세상에 어떤 책이 출간되고 어떠한 평판을 얻고 있는지 알 수 있다.

이처럼 다양한 디바이스를 이용해 독서의 기반을 다져보자. 책을 읽을 때 느끼는 불편한 피해의식을 떨칠 수 있다. 그러려면 평소에 제대로 활용할 만한 디바이스를 갖추고 있어야 한다.

이학(耳學)도 마찬가지다. 이학이란 다른 사람에게 새롭게 들은 이야기를 자신의 지식으로 소화하는 배움의 방식을 일컫는다. 실제로 귀로 듣는 지식을 뜻하기도 하고, 귀동냥으로 남을 통해 알게 되는 지식을 뜻하기도 한다.

이학의 가장 익숙한 예는, 초등학교부터 대학까지 교실에서 받는 수업이다. 대부분 귀를 통해 받아들이는 콘텐츠다. 문장으로 읽기보다 귀로 듣는 쪽이 머릿속에 쏙쏙 박히는 종류의 학습이 분명 존재한다. 기업 등에서 실시하는 각종 연수는 반드시 귀로 듣는 강연 형식을 취한다.

친구들 사이에서 듣는 지식도 이학에 드는데, 이러한 지식은 도움이 되기도 하고 쓸모없기도 하며 때론 인생을 결정짓기도 한다. 영화를 보기 전에 영화에 관한 소문이나 평론을 미리 읽는 것도 이학에 해당한다.

세상에는 이학을 부정적인 시각으로 바라보는 사람도 있지만, 실제로 이학은 무시할 수 없는 중요한 학습 기술이다.

먼저 이학은 책을 읽기 전 '심리적 장벽'을 낮추는 데 도움을 준다. 책 내용이나 평판을 미리 들으면 특정 이미지를 그리게 되고 읽기에 도전하기 쉬워진다. 막상 읽다 보면 그 이미지가 서서히 바뀔지도 모른다. 그래도 상관없다. 오히려 아무런 이미지 없이 읽기 시작하면 내용을 어떻게 이해해야 좋은지 갈팡질팡하며 시간과 에너지만 허비할지도 모른다.

다시 말해 이학을 통해 어떤 식으로든 이미지를 갖고 있으면 책 읽기에 돌입하기 쉬워진다. '줄거리로 읽는 ○○○' 같은 책을 디바이스로 사용할 수 있듯, 어쩌다 귀동냥한 이야기도 독서용 디바이스로 손색없다.

책을 독파하는 것은 무조건 대단할까

회화적인 독서를 전제로 하면 책은 첫 장부터 읽을 필요가 없다. 현재 자신이 관심 있는 부분부터 읽으면 된다. 혹은 자신과 관련 있는 내용이나 어쩌다 눈에 띈 부분부터 읽기 시작해도 상관없다. 관심 없는 부분은 쓱쓱 넘겨도 괜찮다. 마지막 장까지 머릿속에 꾸역꾸역 집어넣을 필요가 없다. 책을 차근차근 읽었는지, 마지막까지 읽었는지 누구에게 검사받을 일도 없거니와 그런다고 훈장을 받는 것도 아니다.

또 세상에는 시간이 지나 그 가치를 알게 되는 책도 얼마든지 있다. 고전이라 불리는 책이 그렇다. 그러므로 금세기 최고의 고전 작품도 본인과 관계없다면 억지로 읽을 필요가 없다. 지금은 인연이 아니라 생각하면 그만이다.

그런 책이 오랜 세월이 흐른 뒤에 도움을 주기도 한다. 그러니 어떤 책들은 기나긴 삶 속에서 언젠가는 다가올 낙으로 남겨두자. 나중에 저절로 재발견할 날이 올 테니. "아, 그랬구나." 하고 무릎을 칠 날이 오리라. 그때를 위해 책장에 고이 모셔두는 것도 나쁘지 않다.

책이란 일단 재미있어 보이는 것부터 순서대로 읽는 게 좋다. 그래야 책 읽는 시간이 가치 있다. 주위에서 훌륭하다고 추천하는 책이라 해도 내가 재미없으면 받아들이기 어렵다. 백번 양보해 그 책을 읽는다고 한들 문장이 쓰인 방향대로 눈 운동만 할 가능성이 높다. 이래서는 시간이 아깝기만 하다.

우선 가능한 한 여러 장르의 책에 도전해보자. 닥치는 대로 책을 읽는 것은 나름 의미가 있다. 취향에 딱 맞는 저자를 생각지도 못한 책에서 발견할 수도 있기 때문이다. 소설이건 수필이건 상관없다. 그런 발견은 인생의 큰 기쁨이다.

책을 사기만 하고 쌓아두어도 좋다. 도중에 읽기를 멈춰도 좋다. 언젠가는 틀림없이 다시 시작할 수 있다.

소위 '미뤄두기식 독서'는 많은 독서가의 습관이기도 하지 않을까. 독서광일수록 미뤄두기식 독서에 도가 튼 사람들이라 해도 과언이 아닐 터다.

책을 읽다 보면 진도가 나가지 않는 순간이 반드시 있다. 이럴 때는 일단 책을 덮어 숨 고르기를 해도 좋지만, 장르가 다른 책으로 바꿔 읽는 방법도 추천한다. 그러다 보면 처음 읽던 책을 다시 손에 쥐고 싶은 욕구가 생기기도 한다.

읽지 않은 책이 쌓여가는 현상은 절대로 나쁜 게 아니다. 책은 생물이 아니므로 썩지도 않는다. 책이 쌓이면 그만큼 즐거움이나 재산이 늘었다고 생각하면 그만이다. 그중에서 한 권을 선택할 때도 회화적으로 접근하면 효과적이다. 많은 작품이 전시된 공간에서 내키는 작품부터 먼저 감상하듯, 100권의 책이 꽂힌 책장을 쓱 훑어보다 그냥 한 권을 뽑아 들면 된다.

세 번째 고민, 읽을 시간이 없다

책 읽기에 어려움을 느끼는 사람에게 더욱 괴로운 것은 책을 읽을 시간이 없다는 점이다. 현대사회에서는 인터넷이나 스마트폰 등의 매체를 활용하는 시간이 급속히 증가한 탓에 독서 시간이 급격하게 줄었다. 한 세대 전만 해도 전철에서 책 읽는 풍경을 흔히 볼 수 있었지만 지금은 전자기기를 들여다보는 사람이 태반이다. 대학교 내 서점에서도 서적 판매량이 줄고 있다. 또 일이나 여가에 우선권을 내어준 탓에 책 읽을 시간을 마련하기 어렵다는 사람도 적지 않다.

이러한 고민의 해결책이라면 단시간에 집중력을 높이는 방법이 가장 좋지 않을까. 바로 '15분 집중법'으로, 최소한의 시간 단위를 15분으로 정해놓고 그동안만 집중하는 방법이다. 날마다 15분만이라도 좋으니 독서 시간을 일상생활 속으로 끌어들여 보자. 식사 후 커피를 마시는 동안 책을 읽거나, 출퇴근이나 등하교 때 버스나 지하철에서 15분 동안 반드시 책을 읽는 식이다.

사실 이 15분 집중법은 심리학에서 빌렸다. 인간이 지닌 집중력의 한계는 15분 남짓이므로 이를 독서에도 응용하는 것이다. TV 드라마를 보면 방영 시간 동안 15분마다 광고가 편성된다. 인간이 스토리에 집중할 수 있는 시간이 15분이므로 그 지점에서 적절히 쉬어 가는 것이다.

이것은 내가 학창시절에 존경해 마지않은 지구물리학자이자 과학 잡지 『뉴턴』의 초대 편집장 다케우치 히토시 도쿄대 교수로부터 전수한 노하우다. 다케우치 교수는 시간을 15분으로 쪼개놓고 15분을 1유닛으로 환산해 방대한 일을 처리했다. 강의 준비나 집필, 독서, 휴식 등 모든 일을 15분 단위로 나눠 실행했다.

거꾸로 말하자면 인간은 적어도 15분 동안은 아무리 힘든 일이라도 집중할 수 있다는 뜻이다. '어떻게든 15분만 버티자.' 이는 아무리 괴로운 독서라도 15분만 한다면 시도해볼 만하다는 데에도 적용된다.

15분마다 책을 바꿔 읽는 방식도 집중력을 유지하는 데 상당히 효과적이다. 15분마다 게임 미션을 클리어하는 것과 같은 성취감을 맛보는 것이 포인트다.

책 읽을 시간이 없다는 사람도 적지 않다. 이러한 고민의 해결책으로, 단시간에 집중력을 높이는 '15분 집중법'이 있다. 최소한의 시간 단위를 15분으로 정해 놓고 그동안에만 집중하는 방법이다. 날마다 15분만이라도 좋으니 독서를 일상으로 끌어들여 보자.

인간이 지닌 집중력의 한계가 15분 남짓이라고 한다. 거꾸로 말하면, 인간은 적어도 15분 동안에는 아무리 힘든 일이라도 집중할 수 있다는 뜻이다. 괴로운 독서라도 15분이라면 시도해볼 만하다. 15분마다 읽는 책을 바꾸는 방식도 집중력을 유지하는 데 상당히 효과적이다. 15분마다 게임을 클리어하는 것과 같은 성취감을 맛보는 것이다.

세상에는 시간이 없어서 책을 읽지 못한다는 사람이 많지만 실상은 시간을 허비하면서 지내느라 책 읽을 시간이 없는 사람도 의외로 많다. 시간을 효과적으로 활용하면 독서를 습관화하는 것이 불가능하지 않다. 텔레비전을 우연히 틀었다가 시간 가는 줄 모르고 보거나 시간을 때우기 위해 스마트폰을 만지작거리면서 인터넷 서핑을 하는 대신 잠시라도 책을 펼쳐보자.

책은 전철 안에서도, 약속 시간을 기다리는 동안에도 읽을 수 있다. 사실상 책이란 시간을 유용하게 사용하는 데 대단히 적합한 도구다. 로그인도 버퍼링도 없다. 책을 들고 걷는 습관, 조금이라도 틈이 생기면 펼쳐서 읽는 습관을 들인다면 자신도 모르게 아주 많은 책을 읽게 된다. 그러기 위해서는 읽다 만 책을 평소에 준비해두면 좋다. 가방에 한 권, 머리맡에 한 권, 화장실에 한 권. 이렇게 짬이 날 때마다 금방이라도 책장을 넘길 수 있도록 스탠바이 상태로 책을 마련해두는 것이다.

독서가 어려운 사람이라도 매일 15분씩이라면 읽다 접어둔 책장의 다음을 읽을 수 있을 것이다. 이 과정을 1년 동안 반복한다면 단순히 계산해도 90시간 이상은 책을 읽는 것이니 대단한 독서량이 아닌가.

2장

책 읽기 전 준비 자세

2장의 포인트

어려운 책은 저자를 탓하라
책 읽기에도 2:7:1 법칙을 적용하자
자기계발서는 세 가지 정보만 얻고 덮는다

이제 본격적으로 책 읽기에 들어가자.

시작하기 전에 기억해야 할 몇 가지 중요한 점이 있다. 무방비로 독서를 시작해서는 안 된다. 많은 사람이 이 순서를 생략해버리는 탓에 책 읽기에 점점 흥미를 잃고 만다. 책을 읽기 전에 몇 가지를 준비해두면 이후의 독서가 순조로워진다.

우선 목차부터 읽자. 목차를 읽는다는 말에 놀라는 사람이 있을지도 모른다. 그러나 목차 읽기는 의외로 중요한 과정이다. 목차를 읽고 어떻게 해석하느냐에 따라 본문을 읽을 때의 효율이 달라진다. 이 작업을 해두면 책에서 필요한 부분을 빠르고 쉽게 찾을 수 있기 때문이다.

많은 사람이 목차를 뛰어넘고 본문을 바로 읽기 시작하는데,

정말 안타깝다. 부디 목차 읽기도 독서의 중요한 포인트라 인식하기 바란다.

다음으로, 책을 펼쳤다면 일단 덮고 띠지를 보자. 띠지는 책의 핵심 내용을 한 줄로 설명하는 광고 문구가 인쇄되어 있는 종이로 보통 책 아랫부분을 감싸고 있다.

띠지는 책에서 제목과 마찬가지의 중요한 역할을 한다. 서점에 가면 다양한 취향을 겨냥한 책 제목들이 여기저기에서 통통 튀어나온다. 첫눈에 보이는 것은 표지이지 내용이 아니다. 어떤 책을 집어 드느냐 마느냐는 표지와 제목이 결정한다. 제목 옆에 작은 활자로 덧붙은 부제목도 중요하다. 부제목은 제목을 보완할 뿐 아니라 저자의 의도가 짙게 반영된 경우가 많기 때문이다. 그러니 부제목은 제목 이상으로 독자에게 호소력을 갖는다. 반대로 얘기하면 독자는 부제목이 흥미롭지 않은 책은 자신과 맞지 않는다고 판단하기도 한다.

이처럼 띠지, 제목, 부제목이라는 세 구도는 독자에게 본문보다 훨씬 큰 영향력을 발휘한다고 해도 좋다. 내가 아는 어느 편집자는 띠지와 부제목을 정할 때 머리를 쥐어짜며 가장 심각하게 고민한다. 팔리느냐 마느냐가 이러한 요소에 달려 있다고 생각하는 편집자도 적지 않다. 그러므로 띠지, 제목, 부제목을 들여다보는 과정에서부터 독서가 시작된다고 해도 과언이 아니다.

이미 책을 펼쳤다면 일단 덮고 띠지를 보자. 띠지는 책에서 제목과 마찬가지의 중요한 역할을 한다. 책의 핵심 내용을 한 줄로 설명하는 문구가 인쇄되어 있기 때문이다. 부제목도 중요하다. 제목을 보완할 뿐 아니라 저자의 의도가 짙게 반영된 경우가 많다.

우선 목차부터 읽자. 목차 읽기는 의외로 중요한 과정이다. 목차를 어떻게 읽고 해석하느냐에 따라 본문을 읽을 때의 효율이 달라진다. 이 작업을 해두면 책에서 필요한 부분을 빠르고 쉽게 찾을 수 있기 때문이다.

책이 어렵다면 저자를 탓하라

책을 읽기 시작했으나 내용이 어려워 무슨 뜻인지 이해하기 힘들었던 경험은 없는가. 이때 효과 만점의 처방전이 있다. '이 책이 읽기 어려운 것은 저자가 글을 못 썼기 때문'이라고 생각하는 것이다. 얼핏 무책임한 말처럼 들리겠지만 독서를 돕는 방법의 하나이니 괜찮다.

책이 어려운가? 그렇다면 원인은 90퍼센트가 저자의 글쓰기 방식이 잘못되었기 때문이라고 생각하자. 독서 초심자에게 소리 높여 외치고 싶은 말이다. 황당하게 여겨질지도 모르겠지만 숨은 본질을 알고 나면 누구나 고개를 끄덕일 것이다.

책을 읽다가 무슨 말인지 감도 잡지 못하겠다면, 읽기를 당장 그만두는 게 좋다. 더욱 알기 쉽게 쓰인 책을 분명 찾아낼 수 있기 때문이다.

독서는 오래 참기 대회가 아니다. 세상에는 읽는 이의 근성을 시험하기 위해 쓰였다고 볼 수밖에 없을 정도로 난해한 책이 있다. 그런 황당무계한 책은 손에서 되도록 빨리 떠나보내야 한다.

이해가 안 되는 게 자기 머리가 나쁘기 때문이라 탓하는 사람이 많은데 그렇게 생각할 필요가 없다. 오히려 저자의 설명

방식이 잘못되었기 때문일지도 모른다는 의구심을 가질 필요가 있다. 대개는 실제로 그렇다. 책에 적힌 설명이 불충분하다 느끼는 것은 대부분 저자의 머리가 나빠서지 독자의 머리가 나빠서가 아니다. 백 보 양보해서 훌륭한 내용이 적힌 책이라 해도 글쓰기 방식이 나쁘고 초심자에 대한 배려가 없다면 저자의 책임감 부족이다.

책은 주로 전문가나 학자가 집필하는 경우가 많은데, 학자들은 자신의 전문 분야에는 능통하나 전문적인 지식을 전달하는 방식에는 그다지 관심이 없다. 게다가 대학교수쯤 되면 "교수님 설명은 재미없습니다."라는 지적을 대놓고 받기가 하늘에 별 따기다. 강연을 전문으로 하는 강사는 설명이 재미없으면 두 번 다시 강연 의뢰를 받지 못한다는 현실을 본인이 인지하고 있다. 그러나 대학교에서는 학생이 학점을 따야 하는 입장이므로 강의 내용이 아무리 지루해도 학생들은 어쩔 수 없이 열심히 듣는다. 따라서 교수는 듣는 이를 배려하지 않고 딱딱하기 그지없는 강의를 이어갈 수 있다.

이런 사람은 책을 쓸 때에도 같은 태도를 보이며 읽는 이의 입장을 전혀 고려하지 않고 자신의 의식이 이끄는 대로 문장을 열거한다. 그렇게 쓰인 내용을 독자가 이해하기 어려운 것은 당연한 일이다.

독서는 오래 참기 대회가 아니다. 세상에는 근성을 시험하기 위해 쓰였다고 볼 수밖에 없는 난해한 책이 있다. 그럴 때 자기 머리가 나빠서라고 탓하는 사람이 많은데, 오히려 저자의 설명 방식이 잘못되었기 때문일지도 모른다. 대부분 저자의 머리가 나빠서이지 독자의 머리가 나빠서가 아니다. 백 보 양보해서 훌륭한 내용이 적힌 책이라 해도 글쓰기 방식이 나쁘고 초심자에 대한 배려가 없다면 저자의 책임감 부족이다. 그런 책을 만났다면 읽기를 당장 그만두는 게 좋다. 더욱 알기 쉽게 쓰인 책을 분명 찾아낼 수 있다.

나아가 놀랍게도 많은 교수가 일반인이 알기 쉽도록 글을 쓰는 것을 폄하한다. 어려운 말이 고상하다고 착각하는 것이다. 이런 사람들은 애초에 독자가 자기 글을 읽어주는 것임을 모른다. 겸허함이란 미덕을 갖추지 못했기 때문에 어려운 문장이 고결하다는 생각까지 품는다. 실제로 내 주위에도 "아마추어가 알기 쉽도록 문장을 쓰는 건 창피한 일이야."라고 말한 동료가 있다.

따라서 읽어도 의미를 파악하기 어려운 문장은 글쓴이 잘못으로 치부하자. 읽을 만한 가치가 없는 글에서는 당장 벗어나는 것이 최선이다.

자신과 맞지 않는 책이라면 읽기를 바로 멈추자. 자신과 어울리는 책, 읽기 쉬운 책을 만날 때까지 끊임없이 갈아타도 된다. 책을 찾는 방법, 선택하는 방법에 대해서는 6장에서 자세하게 설명하겠다.

네 번째 고민,
책에 맞는 독서법을 모르겠다

경제경영, 학습, 교양, 소설, 취미나 실용

등 분야가 다른 책을 각각 어떤 방법으로 읽어야 할지 모르겠다는 호소도 종종 듣는다. 많은 독자가 가장 편하게 생각하는 책은 소설이나 에세이일 테지만 직장인이나 학생에게는 일이나 공부에 관한 노하우가 적힌 경제경영서나 자기계발서가 필요하다. 그렇다면 이들 책의 읽기 방법은 어떻게 다를까.

음악적인 독서와 회화적인 독서에 관해 설명한 바와 같이 자기계발서와 소설의 읽기 방식에도 차이가 있다. 자기계발서는 목적을 갖고 읽는 경우가 많다. 특별한 주제에 관해 학습하기 위해 책을 손에 든다. 그러니 목차를 보면서 필요한 부분만 대각선 읽기 방식으로 읽어도 목적을 달성할 수 있다. 내용을 모두 읽을 필요 없이 대략적인 개요만 파악하면 된다.

반면에 소설을 읽는 의미는 완전히 다르다. 소설은 읽기 자체가 즐거움이므로 시간을 제대로 들여야 한다. 게다가 띄엄띄엄 읽으면 재미가 반감되므로 완독을 위해 시간을 내야 한다. 눈곱만큼의 시간밖에 없다 하더라도 날마다 이어서 읽을 수 있다면 소설 읽기도 어렵지 않다. 천천히 읽으면 된다.

애초에 소설의 매력이란 전체 플롯과 등장인물, 사건을 치밀하게 따라가는 과정에서 맛볼 수 있다. 이것들을 동시에 즐기면 자신만의 귀중한 독서 체험이 된다.

아침에 눈을 떠 정신이 들기까지 몇 분 동안 좋아하는 소설을 읽는다는 사람이 있다. 때로는 20분이 훌쩍 지나버리기도 하지만 그럴 땐 아침 식사 시간을 단축하면 된다고 한다.

어쩌면 아침은 소설에 집중하기에 최고의 조건을 갖춘 때다. 침대맡에 소설을 두고 자기 전에 읽는 사람도 많은데, 그러면 도중에 졸려서 줄거리를 잊어버리기 일쑤다. 하지만 아침에는 뇌가 개운한 상태에서 내용에 집중할 수 있으므로 소설광에게는 아침이 책 읽기에 마침맞은 시간대인 것이다.

좀 더 읽고 싶은데 멈춰야 하는 상황도 바쁜 아침이기에 가능하다. 일단 중단하면 다음 장으로 빨리 넘어가고 싶어질 것이고 이런 동기가 다음 날로 이어지며, 기억에도 선명하게 남는다. 이런 '아침 독서법'을 스스로 개발하는 것도 재미있지 않을까.

인간관계도 책 읽기도 2:7:1 법칙

구입한 책을 끝까지 읽어야 한다는 강박관념을 가진 사람, 게다가 책에 적힌 내용을 처음부터 끝까지 명확하게 이해해야 한다고 믿는 사람이 적지 않다. 그러나 책의 모든 내용을 흡수하기란 누구에게나 불가능하며 그런 착각은 독서를 멀리하게 하는 원흉이 될 뿐이다.

독서는 인간관계와 닮아 있다. 사람이든 책이든 원만하게 소통하는 게 중요하다.

인간관계를 유지하는 비결로 '2:7:1 법칙'이 있다. 자신과 교류하는 열 명을 떠올려보자. 그중 두 사람은 무슨 말을 해도 받아주고 싸우더라도 금방 화해하는 상대다. 자신과 가치관이나 취향이 매우 비슷한 사람이며 절친하다고 할 수 있다.

다음 일곱 명은 무례한 말을 하면 관계가 무너지지만 선을 지키고 정중하게 대하면 아무런 문제도 발생하지 않는 상대다. 함께 일하기에 적합한 상대로, 비즈니스 현장에서 가장 많이 만나는 유형이다. 상대의 입장을 헤아려 행동하면 상대에게도 자신에게도 이익이 발생하는 윈윈 관계를 구축할 수 있다.

마지막 한 명은 아무리 진솔하게 다가가도 삐딱한 반응을 보이는 사람이다. 상대를 위하는 행동을 해도 늘 타이밍이 좋지 않아 싫은 소리를 듣는다. 무엇을 하건 오해만 받아서 관계를 유지하기 어렵다. 상대방 역시 나를 대하기 까다롭다고 생각한다. 말하자면 상극인 관계다.

주위 사람들을 이런 방식으로 분류해보면 대부분은 어느 한 그룹에 속한다. 사람들은 대부분 이를 기준으로 상대를 어떻게 대할지 고심한다.

절친하다 할 만한 20퍼센트에 해당하는 사람은 크게 애쓰지 않아도 좋은 관계를 유지할 수 있다. 만나면 늘 즐거우므로 관계에 억지로 에너지를 쓸 필요가 없다.

에너지는 남은 70퍼센트에 해당하는 사람에게 쏟아붓는다. 상대를 먼저 배려하면서 서로 얼굴을 붉히지 않기 위한 표현을 골라 쓰고 상대의 사정과 스케줄까지 염두에 둔다. 일정 선만 제대로 지키면 상대도 마찬가지로 나를 대한다. 이 관계에서는 상대가 좋아하는 일에 관심을 보이는 게 중요하다. 상대가 흥미로워하는 화제나 일을 주제로 삼으면 내 이야기에 응해주지만, 반대로 내 사정만 이야기하면 상대는 시큰둥해하기 마련이다. 늘 상대의 관심을 관찰하고 의식하면 원만한 관계를 유지할 수 있다. 직장인의 인간관계는 대부분 이 70퍼센트에 해당한다.

나머지 10퍼센트에 해당하는 사람에게는 그런 사람임을 처음부터 인정하고 오히려 아무것도 하지 않는다. 될 수 있으면 접근하지 않고 멀리하는 것이다. 상대에게도 나는 유쾌한 존재가 아닐 터이므로 서로 접촉면을 최소한으로 줄이려 애쓴다. 즉 처음부터 피하는 게 상책이라 생각한다. 나와 상극인 사람에게 쓸데없이 에너지를 소비할 필요가 어디 있겠는가.

그리고 이러한 2:7:1 법칙은 책 읽기에도 그대로 적용된다는 사실을 잊지 말자.

3가지 정보만 얻고 덮는다

효율적인 책 읽기에 관해 생각해보자. 주제가 뚜렷하게 드러나는 자기계발서를 예로 들겠다.

자기계발서에는 학습법, 시간 관리 기술, 일하는 요령, 정리법 등의 단어가 주로 제목으로 붙는데, 모두 특정한 목적을 달성하기 위해 쓰인다. 저자는 해당 주제에 관한 내용을 가능한 한 많이 담아내려 하기 때문에 다양한 사례를 상정해 목차를 편성한다. 학습법에 관한 책이라면 공부하는 방식에 관해 이런 저런 기술을 설명한다.

한편 독자는 대부분 그런 주제를 처음 접하므로 내용이 너무 장황하다고 느끼는 경우가 왕왕 생긴다. 하지만 목차를 훑었을 때 내용이 너무 방대해 보인다면 전체를 읽지 않아도 된다. 그 책에서 알고 싶은 내용만 집중적으로 파고들어 읽어보자. 내 경험으로도 자기계발서를 사고 보니 내게 필요한 지식은 고작 10퍼센트도 들어 있지 않을 때가 많았다. 즉 내용 중 대부분은 이미 알고 있거나 도저히 실행하기 어려운 것일 가능성이 높다. 그런 부분을 빼놓고 읽다 보면 남는 부분은 10분의 1에 불과하다. 나는 애초에 자기계발서란 대부분 그렇다고 믿어온 사람이라 책을 구입한 돈이 아깝다는 생각은 하지 않는다.

내가 추천하는 자기계발서 독서법은, 책 속에서 머릿속에 넣고 싶은 지식을 세 가지로 한정한 후 그 목표를 달성하면 읽기를 그만두는 방식이다. 과도한 정보 입력을 막기 위해 자동 브레이크를 작동시키는 것이다. 모조리 읽으려 하는 시도 자체가 이 분야에는 맞지 않는다.

가령 효과적인 시험공부 방법을 알고 싶으면 관련 책에서 그 목적에 들어맞는 부분만 찾아 읽는다. 유학하고 싶다면 자격시험이나 해외 사정에 관한 부분만 읽고, 상사와의 관계 유지법을 배우고 싶다면 그에 관해 적힌 부분만 읽는다. 다른 내용은 읽지 않고 덮어버리자. 이렇게 자신에게 쓸모 있는 부분만 찾아 읽는 방법을 우선 익히는 것이다.

읽을 필요가 없는 부분을 과감하게 가지치기하다 보면 자기계발서 읽기에 관한 노하우가 자연스레 생길 것이다. 다시 말해 자기계발서는 독파할 필요가 없는 책이며 읽고 싶은 곳부터 읽어도, 또 원하는 지점에서 멈춰도 좋다. 그런 의미에서 자기계발서는 독서를 위한 첫 관문으로 삼기 좋은 책이며 초심자라도 무난히 통과할 수 있는 책이다.

책을 읽기 전에 자신이 머릿속에 넣고 싶은 지식이 무엇에 관한 내용인지 분명히 해둬야 한다. 이 단계를 나는 '독서의 초동(맨 처음에 하는 행동)'이라 표현하는데, 초동을 확실하게 정해놓으면 목적은 저절로 달성된다. 그런 다음 책을 읽기 시작하는데, 그 책에서 얻고자 하는 내용을 세 가지로 압축한다. 읽기 전에 목차를 한 번 훑어두면 어떤 부분을 집중해 읽어야 할지 머릿속으로 정리할 수 있다. 세 가지로 한정한 내용이 포함된 부분은 한 번 더 읽어 새로 알게 된 내용을 머릿속에 완전히 입력한다. 이때 책에 밑줄을 그어도 좋고 메모를 해도 좋다. 별도로 노트를 마련해도 상관없다.

어쨌거나 세 항목에 관해서는 현재 읽는 책 안에서 꼭 얻어내겠다고 다짐해야 한다. 이 다짐도 초동 단계에 포함된다. 특히 자기계발서를 읽을 때에는 이 방법으로 시작해보기 바란다. 독서 메모 방법은 7장에서 자세하게 설명하겠다.

저자 성격을 예측하며 읽기

책을 효율적으로 읽는 방법 중에는 저자의 성격을 예측하며 읽는 방법도 있다. 자기계발서를 집필하는 저자는 가르치려는 열의가 대단해서 여러 부류의 독자를 상정해 다양한 이야깃거리를 제공하는 경우가 많다. 이때 저자의 성격이 은연중에 책에 나타난다. 예를 들면 지하철 안에서 책을 읽는 것이 좋다고 하는 사람과 자기 방에 틀어박혀 조용하게 읽는 게 좋다고 하는 사람이 있다. 이와 마찬가지로 지하철이 좋은 저자와 방 안

내가 추천하는 자기계발서 독서법은 책에서 머릿속에 넣고 싶은 지식을 세 가지로 한정한 후 그 목표를 달성하면 읽기를 그만두는 방식이다. 과도한 정보 입력을 막기 위해 자동 브레이크를 작동시키는 것이다. 모조리 읽으려 하는 시도 자체가 이 분야에는 맞지 않는다.

읽기 전에 목차를 훑어두면 어떤 부분을 집중해 읽어야 할지 머릿속으로 정리할 수 있다. 세 가지로 한정한 내용이 포함된 부분은 한 번 더 읽고, 새로 알게 된 내용을 머릿속에 완전히 정착시킨다. 이때 책에 밑줄을 긋거나 메모를 해도 좋다.

으로 파고드는 저자가 다른데, 공교롭게도 전자의 저자가 쓴 책은 지하철 안에서 읽으면 더 좋다. 이런 책을 후자 타입에 속하는 독자가 읽으면 왠지 단추를 하나씩 밀려 끼운 듯한 불편함을 느낄 가능성이 높다.

책에는 저자의 성격이 여실히 드러나 있다. 자신과 맞는 저자의 책은 읽기 쉽고, 맞지 않는 저자의 책은 읽을 마음이 여간해서는 들지 않는다. 이런 차이를 관찰하면서 읽으면 자신의 독서 취향까지 객관적으로 파악할 수 있다. 즉 저자를 대단한 선생님이라고 무조건 칭송하지 않고 한 발짝 떨어져 냉정하게 바라볼 수 있다.

이런 식으로 읽어나가다 보면 책 한 권 속에서도 자기에게 맞는 부분과 맞지 않는 부분이 분명해진다. 당연히 맞지 않는 부분은 건너뛰어도 무방하다. 자기계발서는 소설과 달라서 어디부터 읽든지 아무런 저항 없이 내용을 이해할 수 있고 어디에서 덮어버려도 상관없으므로 이런 '실험'이 가능하다.

또 저자가 어떤 사람일지 상상하면서 읽으면 그가 하는 말이 머릿속에 더 쏙쏙 들어온다. 표지 날개를 들춰 저자의 정보를 꼼꼼하게 읽어보면 성격을 더욱 정확히 예측할 수 있다. 저자 홈페이지나 블로그, 트위터를 확인해도 좋다. 이렇게 저자에게 관심을 가지고 읽다 보면 책 내용을 이해하는 방식도 무르익는다.

저자의 성격을 파악하는 작업은 인간관계에서 상대를 보는 눈을 높이는 데도 도움을 준다. 이에 관해서는 프레임워크라는 주제로 다음 장에서 자세하게 검토하겠다.

다섯 번째 고민, 독서가 왜 필요한지 모르겠다

초등학교나 중학교에 다니던 시절에 책을 읽고 독후감을 써오라는 과제 때문에 괴로웠던 독자가 많으리라. 나도 학창시절에 명서 읽기라는 명목으로 "○○일까지 읽고 감상문을 써 오세요."라는 숙제가 늘 있었다. 책 읽기가 과제로 주어지면 인상부터 찌푸리는 사람이 많다. '내가 읽을 책 정도는 알아서 고르고 싶다.'라면서 반감을 갖던 사람이 나중에 뛰어난 독서광이 되기도 하지만 말이다.

독서에 피해의식이 있는 사람들의 공통된 의문은 '애초에 독서가 왜 중요한지 모르겠다.'라는 것이다. 책을 읽지 않아도 일을 할 수 있고 책에 쓰인 내용은 인터넷을 검색하면 다 나오지 않느냐고 반문한다.

누군가가 나에게 책을 왜 읽어야 하느냐고 묻는다면 '책은 호기심을 채워주고 자신의 세계를 넓혀주는 수단이기 때문'이라고 답하고 싶다. 읽을수록 내면이 풍성해지고 살아가는 데 자신감을 얻을 수 있는 책을 만난다면 그 책은 평생의 보물이 될 것이다. 독서 행위는 형태로 나타나지 않지만 정신이 변화하는 계기를 제공한다. 바꾸어 말하면 책은 인생을 풍요롭게 해주는 가장 저렴하면서도 가장 효과 높은 수단이다.

이미 알고 있는 90퍼센트를 강화하는 일

인간은 스스로 무언가를 배울 때 자기 안에 이미 90퍼센트는 관련 정보가 저장된 상태에서 시작한다. 자신의 관심 분야를 중심으로 그 관심과 흥미에 깊이를 점점 더해가는 것이다. 이것이 바로 심리학의 세계에서 '인지 이론(cognitive theory)'이라 일컫는 학습 메커니즘이다.

책 읽기란 원래 90퍼센트가 이미 알고 있는 사실을 다듬는 행위다. 우선 자신이 갖고 있는 지식이 틀리지 않았음을 확인하며 안도한다. 저자도 자신과 같은 생각을 말하고 있구나 하고 용기를 얻는 것이다. 자신이 지금까지 가지고 있던 가치관이나 판단에 자신이 없었는데 그것이 틀리지 않았음을 저자에게 입증받는 작업이라고도 할 수 있다.

그런 다음에야 새롭게 접하는 정보가 비로소 머릿속에 들어온다. 재인식을 통해 안도감을 느끼지 못하면 인간은 새로운 지식을 받아들이지 못한다. 바꿔 말하면 과거의 자신을 긍정할 수 있어야 비로소 지적 호기심이 왕성해진다. 이렇듯 머릿속에 새로운 지식을 받아들이려면 나름대로 준비가 필요하다는 사실을 알아두기 바란다.

이렇게 한 권의 책에서 얻을 수 있는 새로운 지식이나 식견은 자신이 얼마만큼 바탕을 만들어 놓았는가에 따라 그 양이나 질이 달라진다. 그러니 낯선 내용이 머릿속에 곧바로 들어오지 않는 게 당연하다. '맞아, 맞아', '이걸로 됐어.'라고 안심해야 비로소 '아, 이런 것도 있구나.'하고 새로운 것을 받아들인다. 즉 새로운 지식은 기껏해야 10퍼센트만 추가될 뿐이다.

이 세상에 일어나는 수많은 사건과 이야기들에서 나는 무엇을 배울 것인가. 어떻게 행동하고 어떤 경험을 쌓을 것인가는 그동안 축적해놓은 지식이 좌우한다. 지식의 씨앗이 없는 곳에 새로운 배움의 싹은 나지 않는다.

앞서 말한 사실은 책을 선택할 때에도 크게 영향을 미친다. 내가 고르는 책들은 과연 어떤 류에 속하는가. 많은 사람이 책이란 새로운 정보가 가득 담기지 않으면 구매할 가치가 없다고 책 읽기란 원래 90퍼센트가 이미 알고 있는 사실을 다듬는 행위다. 지금까지 가지고 있던 가치관이나 판단에 자신이 없었는데 그것이 틀리지 않았음을 저자에게 입증받는 작업이라고도 할 수 있다. 그런 다음에야 새롭게 접하는 정보가 비로소 머릿속에 들어온다.

그러니 낯선 내용이 머릿속에 곧바로 들어오지 않는 게 당연하다. 인간이 새로운 지식을 획득할 때는 이미 알고 있는 내용에 10퍼센트만 추가될 뿐이다. 한 권의 책에서 얻을 수 있는 새로운 지식이나 식견은 자신이 얼마만큼 바탕을 만들어 놓았는가에 따라 그 양이나 질이 달라진다.

믿는다. 그러나 모르는 내용만 적힌 책은 좀처럼 읽어나가기 어렵다.

예를 들어 학교에서 지정한 교과서에는 일반적으로 모르는 내용만 적혀 있다. 교과서는 선생님의 지도 아래 읽기에는 편하지만 독학을 위해 만들어진 책은 아니다. 혼자 읽으면 머리만 아플 뿐이다. 불필요한 설명을 줄이고 기본적인 지식만 압축해놓았으므로 독학하기에는 무리다. 그러니 책을 처음 고를 때는 알고 있는 지식을 재확인하는 정도의 책, 초심자를 의식해 쉽게 풀어 쓴 책을 선택해야 읽는 맛이 난다.

인공지능에 대항할 힘

다른 측면에서 생각해보자. 오늘날에는 컴퓨터가 상당히 발전해 사회를 변혁의 길로 이끌고 있다. 그 대표적인 예가 인공지능이며, 인공지능은 인간이 행하는 많은 일을 대신해준다. 그러면 인간은 인공지능이 하지 못하는 일을 찾아내 인간다운 역할을 하려 할 것이다.

이럴 때 도움이 될 만한 지혜나 가치를 얻는 것이 바로 독서의 목적 중 하나다. 말하자면 독서를 통해 인간은 인공지능에 휘둘리지 않을 수 있는 삶의 방식을 터득하는 것이다. 인공지능이 할 수 있는 일은 인공지능에 넘겨주면 된다. 인공지능이 가능한 일과 불가능한 일을 정확하게 가려내는 능력을 키우는 것도 독서가 도와줄 수 있다. 본디 인공지능은 인간의 두뇌로 움직이며 독서야말로 그 기능의 지지 기반이다.

인공지능으로 대체가 불가능한 직업으로 종교인을 들 수 있는데, 인간과 직접 만나 과거를 반성하고 마음을 정화하는 일로 이끄는 역할은 인간만이 할 수 있다. 인간은 성경이나 불경을 읽으며 감명을 받아 삶에 임하는 자세를 바꾸어왔다. 종교서적이나 철학서가 담당해온 역할은 과학기술이 아무리 발달해도 희석되지 않는다. 패턴이 정해진 정보 조작이 인공지능의 특기이긴 하지만 인생은 패턴으로 정리할 수 없는 우연의 연속이다. 돌발 상황으로 가득한 지구상에서 역시 우연으로 가득한 생명의 움직임을 인공지능이 처리할 수 있을까. '그 상황에서 그때와 마찬가지로'라는 정해진 알고리즘에 대응할 힘을 기르는 가장 확실하고도 편리한 방법이 독서 외에 없다고 나는 믿는다.

책은 당신의 세계를 확장시킨다

'아무것도 없는 곳에서 끄집어낼 것은 없

다.'라는 말은 지적 생산의 원리를 대변한다. 아웃풋의 질은 자신이 지금까지 행해온 인풋의 양과 질에 따라 결정된다. 그리고 인풋의 기본은 바로 '문장을 읽는 능력'이다.

책은 인간이 지성을 담아 남긴 산물이며 독서는 예나 지금이나 가장 효율 높은 배움의 수단이다. 어떤 목표건 그 목표에 이르려면 독서라는 인풋 과정을 반드시 거쳐야 한다 해도 과언이 아니다. 어릴 때부터 독서 습관을 길러놓으면 나중에 여러 방면으로 정보를 얻기 쉽다. 폭넓은 분야의 서적을 소화할 수 있으므로 축적하는 교양의 범위 역시 넓어진다는 장점도 있다.

나는 서점에 가면 정해진 코스대로 매장을 돌아보곤 한다. 그래서 어떤 때는 평소에 별 흥미 없던 장르의 책을 탐색하기 위해 일부러 다른 쪽 서가로 발걸음을 옮긴다. 이런 경험들이 쌓이면서 시야와 관점이 넓어지는 것을 느낀다.

어떤 책을 읽을 것인가 하는 독서 취향은 읽는 사람의 인간성을 반영한다. 친구나 지인의 집에 발을 처음 들여놓았을 때 서가로 시선을 돌리면서 기대감에 두근거린 적이 있는가. 그곳에서 접한 책 한 권이 종종 집주인의 첫인상을 좌우하기도 한다.

그러나 요즘 학생들은 흥미 있는 분야의 책 외에는 관심을 두지 않는 경향이 뚜렷해 보인다. 이야기를 나누다 보면 지식을 편식하고 있다는 느낌이 들기도 한다. 독서를 통해 자아를 구축하고 세상에 어필하는 전략을 세우기에 허술해 보여 우려스럽기도 하다.

대학에서 강의를 하다 보면, 청년들의 독서력이 낮아지기만 하는 현실이 상당히 염려스럽다. '읽기'라는 행위는 독서에서 그치는 게 아니라 상대의 마음을 헤아리고, 주변 분위기를 감지하며, 타인의 마음이나 행동을 예측하는 데까지 나아간다. 즉 눈에 보이지 않는 것을 이미지화할 수 있도록 훈련하는 과정인 것이다. 따라서 독서력 저하는 활자와 멀어지는 것에 그치는 문제가 아니라 상상력과 공감력을 훈련할 기회가 줄어듦을 뜻한다.

내가 학생이었을 때는 이와나미 신서를 전부 읽는 것이 당연했다. 매달 출간되는 신간뿐 아니라 청색 판으로 간행된 당시 책들 중 어느 시대의 작품까지 거슬러 올라가면서 읽을 수 있는지, 혹은 그 전에 나온 적색 판까지 도전할 수 있는지 친구들과 겨루기도 했다(일본 최고의 지식 교양 총서인 이와나미 신서는 시대 및 발행 부수에 따라 색으로 구분 지었는데, 적색 판으로 시작해 1949년부터 청색 판, 1977년부터 황색 판, 1988년부터 현재까지 신적색 판으로 출간되고 있다—옮긴이).

3대 신서로 불렸던 중앙공론 신서와 고단샤 현대신서도 마찬가지로, 이 책들을 제목 순으로 모두 독파하겠다던 초강자도 있었다. 이렇게 기본 교양서를 읽는 분위기를 이제는 기대하기 어려워졌다. 그러나 한편으로 독서력이 쇠퇴하는 현상은 오히려 책을 읽는 사람이야말로 세상의 중심이 될 수 있음을 의미한다.

잠시 내 유년 시절을 돌아볼까. 학교 도서실을 내 집처럼 드나들던 나는 초등학교 시절에 도서 위원으로 활동했다. 수업이 끝나면 도서실에 파묻혀 지냈다. 주로 읽은 책은 프랑스의 곤충학자 장 앙리 파브르의 『파브르 곤충기』 시리즈와 미국 박물학자 어니스트 시튼의 『아름답고 슬픈 야생동물 이야기』를 비롯한 동물 관련 시리즈였다. 돌아보면 곤충이나 동물을 친근하게 느낄 수 있도록 그야말로 세계관 확장에 기여한 책들이었다.

그 외에 탐정소설도 좋아했다. 아동용 셜록 홈즈 전집이나 에드거 앨런 포의 『황금 풍뎅이』에 빠져서 닥치는 대로 빌려 읽었다. 아동용으로 각색한 책은 단어를 알기 쉽게 고쳐 놓아서 읽기 편하다. 애든 어른이든 추리소설은 마지막까지 읽지 않고 못 배기는 법. 내가 어릴적 읽은 책들은 독자가 속도를 유지하면서 마지막 장까지 읽을 수 있도록 꽤 고심해 편집한 흔적이 보였다.

유년 시절에 추리소설의 재미를 알고부터 독서를 통해 넓어진 세계관은 지금도 나의 굉장한 자산이다. 나중에 자연과학 분야로 넘어왔을 때 내가 모르던 세계를 발견한 것도 독서의 힘이었다.

독서는 예나 지금이나 미지의 세계를 만나는 과정에 엄청나게 기여한다. 나는 도쿄로 출장을 갈 때마다 반드시 책을 세 권 정도 들고 가는데, 대부분 내 전문 분야와 거리가 먼 책을 고른다. 열차 안에 머무는 시간은 지금까지 몰랐던 세계를 만나는 귀중한 시간이 된다. 자투리 시간을 유용하게 사용해 세상을 보는 눈을 넓히는 것이다.

그 책들 중에는 에드워드 기번의 『로마제국 쇠망사』 시리즈가 있다. 로마 제국의 주요 인물이 끊임없이 튀어나오고 그들의 인생이 유려한 문장으로 담겨 있다. 역사서인 듯하면서도 인물 평전 같기도 해서 오묘한 재미를 주는 명저다. 유럽의 로마시대라는, 공간과 시대가 다른 세상을 접할 수 있어 호기심을 채워주기도 한다. 총 10권에 이르는 대서사이므로 기차를 탈 때 한 권씩 지참하면 몇 개월간은 재미가 보장된다.

책 한 권만 있으면 몇 시간, 길게는 하루를 버틸 수 있다. 권수가 많고 두꺼운 책이라면 1년이 걸릴지도 모른다. 어떤 고전은 한 권만 읽기에도 1년이 족히 걸린다. 적은 투자로 인생이 이렇게 풍요로워질 수 있다니, 책은 굉장히 실속 있는 쇼핑 품목이다.

기회의 촉매제이기도 하다

책은 인생에서 기회의 촉매제 역할을 한다. 이 촉매제를 여럿 보유하고 있으면 돌발적인 상황에 재빨리 반응할 수 있다. 책 읽는 훈련을 통해 사회 현상을 읽을 수 있는 안테나 수가 늘어나기 때문이다.

가령 그림에 관한 책을 읽을 때면 전시회 포스터만 봐도 직접 가보고 싶은 의지가 생긴다. 실제로 전시회에 다녀오면 이번에는 좀 더 깊이 파고들어 보고 싶은 마음에 다음 단계의 독서를 스스로 재촉하기도 한다. 독서의 폭이 넓어지니 언젠가 마주할 큰 기회를 잡기도 쉽다.

책의 가장 큰 매력은 비교적 저렴한 가격으로 손쉽게 구매해 언제 어디서나 읽을 수 있다는 점이다. 책을 한 권 손에 들면 인생의 소중한 기회를 하나 늘릴 수 있다고 해도 좋다. 독서는 기회를 불러들이는 기폭제다. 독서에 강해지면 남보다 한 발, 두 발 먼저 튀어나갈 수 있는 가능성도 커진다.

내 전문 분야인 지구과학 측면에서 보면 일본은 지진이나 화산 분화가 빈번하게 발생하는 지구의 변동대에 속한다. 특히 국토가 좁고 지하자원이 부족하며 모든 국민을 먹여 살릴 만큼 충분한 식량을 보유하고 있지도 않다. 다시 말해 인적 자원 외에 다른 물질자원은 풍요롭지 못하다. 그런데도 일본이 강대국

대열에 선 것을 보면, 진정한 자원은 머릿속에 있으며 뇌를 활성화해 유용한 도구나 기술을 끄집어낼 수만 있다면 우리네 삶은 한층 발전한다는 사실을 알 수 있다.

앞으로 젊은 층이 세상에 나아갈 때는 자신의 머릿속을 어떻게 정비하느냐에 따라 승패가 나뉠 것이다. 그래서 나는 학생들에게 가능한 한 책을 읽으라고, 인간관계를 넓히라고 잔소리를 아끼지 않는다. 책은 세상을 넓혀주고 지금까지 알지 못한 자신의 능력을 끌어내준다. 예나 지금이나 그리고 앞으로도 절대로 바뀌지 않을 진리다. 따라서 젊을수록 책 읽는 습관을 지니기를 간절히 바란다. 더불어 '자기만의 라이브러리'를 만들라고 늘 힘주어 말한다.

이제 1, 2장에서 서술한 기본적인 노하우를 익혔다면 조금 더 난해한 책으로 넘어가보자. 살다 보면 마음으로부터 우러나는 독서가 아니라 어쩔 수 없이 어려운 책을 읽어야 할 상황도 닥치지 않겠는가. 읽는 방식만 터득한다면 동서고금의 지혜를 흡수하고 음미하는 과정이 결코 어렵지 않다. 그래서 3장에서는 난해한 책이나 전문서 읽기에 관해 자세하게 설명하려 한다. 각각 고유의 읽기 방식이 있기 때문이다.

3장

난해한 책에 도전하기

3장의 포인트

저자의 프레임워크를 이해하자
소제목 주변을 집중해 읽는다
후기나 해설부터 읽어도 좋다
미뤄두기와 불완전법으로 읽기

이번 장에서는 난해한 책을 어떻게 읽어야 효과적인지 설명하려 한다. 어려운 책에는 특유의 읽기 방식이 존재한다. 읽는 방식만 터득하면 전문서도 절대로 넘지 못할 산이 아니다.

먼저 독서란 어떤 행위인지부터 생각해보자. 나는 독서란 '저자와 독자의 소통'이라 생각한다. 소통이 제대로 이루어지면 책을 술술 읽을 수 있다. 그렇다면 소통의 구조에 관해 자세하게 검토해보자.

저마다의 프레임워크

어느 날 문득 이런 생각이 들었다. 어떤

책을 읽기가 어렵다면 그 이유는 저자와 독자의 프레임워크가 맞지 않아서가 아닐까. 프레임워크란 생각의 틀, 사고 패턴, 고정관념 등을 말한다.

인간은 누구나 고유의 프레임워크를 기반으로 사고한다. 그러므로 프레임워크가 맞는 사람끼리는 이야기가 잘 통하고, 프레임워크가 다른 사람끼리는 소통이 어렵다. 우리는 평소에도 프레임워크에 강하게 지배당한다. 좋아하는 분야의 TV 프로그램만 본다거나 늘 정해진 결론만을 내리는 것이 바로 그 예다.

나는 내 전문 분야인 화산학을 시민들에게 알려주려 했던 경험을 통해 프레임워크의 중요성을 처음 인식했다. 2000년 3월, 홋카이도에 있는 우스산이 분화했고 나는 전국 공영방송의 뉴스 프로그램에 나가 이 현상을 설명했다.

내가 하고 싶었던 말은 '분화 예측이 맞아떨어지기는 했으나 화산학자들이 관측 데이터를 계속 주시하고 있으므로 걱정할 필요 없다.'라는 내용이었다. 그러나 시청자들은 '대학교 전문가가 험악한 표정으로 속사포처럼 말을 토해내고 있다. 우스산에 큰일이 생길 것만 같다.'라고, 내 의도와는 정반대로 메시지를 이해하고 말았다.

시민과 과학자는 자연현상에 관한 인식이 거의 정반대다. 시민의 프레임워크에 접근하지 못하면 과학자가 하고자 하는 말은 허공으로 날아가버린다는 것을 통감했다.

올바른 소통의 열쇠는 프레임워크에 있다. 자신과 타인의 생각 차이를 의식하는 것이 인간관계를 원만하게 형성하는 비결이다. 내 방식을 상대가 받아줄 수 있을 때 비로소 의사소통에 물꼬가 트인다.

프레임워크를 어려운 문장이나 책을 읽고 해독하는 데 적용해보자. 나는 책 읽기에도 이 방법을 적용하기 위해 '프레임워크 독서법'이라는 말을 만들었다. 프레임워크 독서법은 지적이면서도 까다로운 추상적인 내용을 이해하고자 할 때 더욱 빛을 발한다. 또한 신문이나 잡지에 실린 이해하기 어려운 기사나 난해한 철학책을 마주할 때도 힘을 발휘한다. 어떤 저자이건 고유의 프레임워크를 갖고 있다. 우선 저자의 생각과 철학을 이해하는 단계부터 시작해보자.

저자의 관심에 관심을 가져본다

책이나 문서를 읽다 보면 유독 이해하기 어려운 문장을 만난다. 그런데 내용에 흥미가 없고 이해되지 않아도 반드시 읽어야 하는 경우라면 어떻게 하겠는가.

이럴 때는 '상대의 관심에 관심 갖기'라는 테크닉을 써보자. 상대의 관심에 관심을 갖는다는 것은 상대에게 주어진 입장이나 상황에 관심을 두면서 상대의 생각 속으로 들어가는 방법을 말한다. 어느 저자든 목적과 관심사가 있어서 책을 통해 의사 표시를 하는 것임을 고려해 저자의 관심사에 나도 관심을 갖는다는 뜻이다. 이를 줄여서 '관심법'이라 부르도록 하자.

관심법은 자신과는 관련 없는 전문 분야에 관한 신문 기사를 읽고 해석할 때도 효과적이다. 신문 기사는 발생한 사건을 사실에 근거해 정확하고 공정하게 기술하는 것, 기사에 기자의 감정이나 가치관을 이입하지 않는다는 것을 전제로 한다. 이런 전제를 염두에 두지 않고 기사를 읽으면 재미도 뭣도 없어 화가 날 수 있다. 또한 기사가 실릴 지면이 문화면인지 경제면인지에 따라 담당자의 기술 방식이나 프레임워크도 완전히 달라진다. 그러므로 독자들은 해당 기사를 쓴 기자의 관심이 어느 지점을 가리키고 있는지 추측할 수 있는 선에서 기사의 내용을 이해하고 받아들이게 된다.

이 관심법은 공공기관이 발표한 보고서나 법원 판결문, 국회의원의 국회 답변을 읽을 때도 적용할 수 있다. 이해하기 어렵기로 유명한 공공기관의 문장도 작성한 쪽의 입장을 알고 그 기관이 자주 사용하는 키워드에 익숙해지면 문장에서 하고자 하는 말의 의도를 이해하기가 그리 어렵지 않다.

기본적으로 공공기관이 작성한 글이 어려운 이유는 전례를 답습했기 때문이다. 기존의 틀을 유지하는 게 공공기관의 특징이므로 이 점만 머릿속에 있다면 그다지 난해한 내용을 늘어놓은 것이 아님을 눈치챌 수 있다. 오히려 철학 서적이나 문학작품이 훨씬 많은 고민 끝에 탄생한다.

우선 단어를 분석하고 각 단어의 기능을 분명하게 이해한 다음 전체적인 내용으로 들어가자. 그리고 모든 일이 마찬가지겠으나, 마지막에는 익숙해지는 것이 중요하다. 공공기관의 문장에는 틀이 정해져 있다. 정해진 틀에 익숙해져야 한다.

젊은 시절에 신에너지 산업기술 관련 행정기구에서 근무한 경험이 있는데, 1년쯤 지나니 내 의견에 태클을 거는 이가 없어졌다. 덕분에 나는 조직을 책임지고 방위할 만한 글을 쓸 수 있게 되었다. 이렇듯 일단 틀만 파악해두면 다른 기관에서 보내는 통지문도 어떤 요지로 쓰였는지 바로 이해할 수 있었다.

최근 인공지능은 범례를 학습해서 재판관보다 더 적확한 지시를 내리고 행정 직원보다 더 정확하게 문서를 작성하는 수준에 이르렀다. 원래 인공지능이 가능한 일은 인간도 해낼 수 있는 일이며 구조만 알면 누구나 해석할 수 있다. 도대체 무슨 말을 하는지 알아듣기 힘든 국회 답변 역시 일정한 틀을 유지하고 있다. 국회의원에게는 그들의 프레임워크가 있고 그 범위 안에서 상대에게 가장 효과적인 프레젠테이션을 펼친다. 즉 의원끼리만 통하는 프레임워크를 주고받는 것이므로 국회 중계를 처음 보는 시청자가 이들을 따라가기 힘든 건 당연하다.

이런 경우에는 관련 신문 기사 등을 미리 읽어 해당 국회의원이 갖고 있는 프레임워크를 확인해두는 사전 작업이 도움이 된다. 어떤 경우이든 프레임워크를 주고받으려면 준비가 필요하다는 뜻이다.

라벨 해독법

얼핏 어려운 내용처럼 보이는 글도 알고 보면 어려운 단어만 나열해놓았을 뿐임을 알아야 한다. 저자가 사용하는 단어가 독자의 프레임워크와 맞지 않으니 어려울 수밖에 없다. 그런 글들은 유사한 쉬운 표현으로 바꾸면 내용이 아주 간단해지는 경우가 많다. 철학 서적이건 과학 서적이건 공공기관이나 정치가가 쓴 문장이건 단어의 트릭만 알면 대체로 이해할 수 있다.

글에서 프레임워크를 규정하는 가장 큰 요소는 단어다. 특정 영역마다 독자적으로 사용되는 단어가 있고, 거기에는 표면적인 뜻 너머의 특수한 의미나 용도가 있다. 일반 상품에서 데이터에 이르기까지 특정 성질을 식별하기 위해 붙이는 표식인 '라벨'을 떠올려보라. 책에도 라벨 역할을 하는 단어들이 있다. 대표적인 예가 전문용어다. 라벨에는 저자만의 프레임워크가 담겨 있다. 즉 어려운 전문용어들도 결국 저자가 자기 생각을 압축해서 넣은 단어에 불과하다.

우선 저자가 사용하는 라벨에 주목해보자. 바로 '라벨 해독법'이다. 저자가 만들어놓은 라벨에 어떤 프레임워크가 숨어 있는지 해독하는 것이다. 단어 자체의 뜻이 아니라 굳이 프레임워크를 파악하자는 점에 주목하기 바란다.

가령 반복적으로 사용되는 단어가 있다고 하자. 같은 단어가 여러 번 등장하므로 의미를 잘 모르더라도 구조상 키워드일 것이라 판단할 수 있다. 영어 독해 지문에서 정확한 의미를 모르더라도 어떤 단어가 여러 차례 나오면 글에서 중요한 의미를 지닌 단어임을 알 수 있는 것과 같은 이치다.

키워드를 발견했다면 주의해야 할 점이 있다. 키워드가 표면적으로 나타내는 의미와 글에서의 맥락상 의미가 종종 다르게 쓰이기도 한다는 사실이다. 독자가 그리는 내용과 저자가 의도한 내용이 다르면 독자 입장에서는 저자가 무슨 말을 하려는지

감을 잡기 어려워진다.

이 경우 독자는 자신이 그린 이미지를 일단 지워버리고 저자의 이미지에 맞추어야 한다. 저자와 독자의 프레임워크가 다른 것은 당연하다. 특히 고전을 읽는 경우에는 시대와 상식마저 다르지만 별수없다. 다소 귀찮긴 해도 독자가 맞추어주는 게 현명하다.

이렇게 읽는 기술을 익히면 철학자든 종교인이든 과학자든 누구와도 소통할 수 있다. 난해하다고 소문난 책이라 하더라도 저자 특유의 표현, 즉 라벨을 찾아 해독하면 되니 말이다. 상대의 프레임워크에 맞출 수 있으면 책을 읽을 때 생기는 문제는 거의 해결된다.

여기까지가 라벨 해독법의 원리다. 다음에는 구체적으로 이를 활용해 어떻게 읽는지를 살펴보겠다.

소제목으로 나뉜 부분을 집중적으로 읽는다

책의 한 구절을 읽다가 모르는 단어 A, B, C를 발견했다고 하자. 이 단어들이 비슷한 뜻을 나타내기는 하지만 차이를 잘 모르겠다면 사전을 뒤져 의미를 조사해도 된다.

그러나 나는 뜻을 몰라도 그대로 읽어나가라고 말하고 싶다. 처음에는 모르더라도 읽다 보면 A, B, C가 조금씩 다른 의미로 쓰였음을 구별해낼 수 있다. 어렴풋이 알 것 같으면 된다.

구체적으로 살펴보자. 책을 보면 내용이 소제목으로 구분되어 있다. 보통 2~3쪽마다 행이 바뀌며 굵은 글자로 소제목이 나온다. 소제목은 관련된 여러 문단의 내용을 압축한 것으로 내용의 이해를 돕는 중요한 역할을 한다. 우선 이 소제목으로 나뉜 부분을 반복해 읽는다. 그 안에는 대여섯 단락 정도가 포함되었다고 가늠하면 된다. 모르는 단어가 있어도 이 정도 분량쯤은 참고 읽어보자. 읽다 보면 A와 B와 C의 차이도 어렴풋하게나마 짐작하게 된다.

어렵다고 생각한 부분은 이렇게 소제목으로 나누어놓은 구획 중심으로 읽어가면 된다. 여러 차례 반복하면서 차근차근 읽어간다. 달리 말하면 나머지 부분은 훌쩍 건너뛴다. 소제목 중심으로 나누어 읽기는 초심자, 상급자 구분 없이 활용할 수 있는 편리한 독서법이다.

이 책에서 각 장의 앞머리에 적어놓은 '포인트'는 장마다 전하고 싶은 요점을 서너 가지로 정리한 것으로, 소제목의 집대성이라 할 수 있다. 이렇듯 소제목 중심으로 읽는 방법을 통해 책 전체를 조망할 수 있으며 그 과정에서 핵심 문장들이 머릿속에 자리 잡으면 가독성이 붙어 읽기에도 편하다.

대다수 책들은 독자의 심리적 장벽을 낮추기 위해 이러한 장치를 마련해두므로 이를 활용해 책을 읽으면 된다.

해설과 후기부터 읽는다

라벨을 해독하는 방법 중 신의 한 수를 알려주겠다. 본문을 첫 장부터 읽어가면서 수고스럽게 찾아내는 게 아니라 처음부터 받아먹는 것이다. 저자 고유의 라벨과 그에 관한 설명은 대개 해설이나 후기, 저자의 말에 담겨 있다. 저자의 이력이나 삶의 배경도 나온다. 이런 정보는 라벨을 해독하는 데 유용하다. 저자에 대해 많이 알수록 그 사람의 사고방식을 쉽게 이해할 수 있기 때문이다.

그러니 난해한 책을 만난다면 처음부터 본문을 읽을 필요 없이 권두나 권말에 있는 해설부터 읽어도 된다. 예를 들어 철학책에는 해설 페이지에 그 철학자의 생애와 철학자가 사상을 형성하게 된 계기, 과정 등이 자세하게 기술되어 있다. 이 부분만 읽어도 핵심 개념과 내용의 상당 부분을 이해할 수 있다. 저자의 프레임워크에도 쉽게 접근할 수 있다.

얼핏 어려워 보이는 문장이라도 글쓴이의 특성을 마중물 삼아 독해하는 즐거움을 알게 되면 책을 보는 시선이 단숨에 넓어진다. 가령 철학자 칸트에 관한 저서를 읽을 때는 먼저 칸트의 경력과 라이프 스타일을 찾아본다. 당시의 구체적인 생활상 난해한 책은 권말에 있는 해설부터 읽어도 된다. 예를 들어 철학 서적에는 해설 페이지에 그 철학자의 생애와 철학자가 사상을 형성하게 된 계기, 과정 등이 자세하게 기술되어 있다. 이 부분만 읽어도 핵심 개념과 내용 상당 부분을 이해할 수 있고, 저자의 프레임워크에 쉽게 접근할 수 있다. 저자에 대해 많이 알수록 그 사람의 가치관을 쉽게 이해할 수 있다. 얼핏 어려워 보이는 문장이라도 글쓴이의 사람됨을 마중물로 삼아 독해하는 즐거움을 안다면 책을 보는 시선이 단숨에 넓어진다.

을 그려본 후 동시대를 사는 것처럼 감정을 이입해 읽어본다. 철학이라 해도 어차피 인간으로서 어떻게 살아야 하는지에 관해 이런저런 생각을 펼쳤을 뿐이므로 삶과 동떨어진 말을 하는 것이 아니다.

애초에 철학은 생각에 관해, 그리고 어떻게 살아야 하는가에 관해 다루는 분야가 아닌가. 이름 없는 시정잡배라도 나는 어떤 존재인가, 무엇을 위해 사는가와 같은 본질적인 문제를 생각하기 마련이다.

학식이 있고 없고를 떠나서 자신이 사물을 볼 때 끼고 있는 안경, 즉 고정관념을 깨닫는 것이 중요하다. 철학 관련 모임에 참여해 다양한 시각을 나누는 것도 도움이 된다.

저자의 시대상을 살펴본다

저자가 살던 시대적 상황을 미리 살피는 것도 읽기 어려운 글을 무난하게 해독할 수 있는 독서법이다.

나는 논리성과 거리가 먼 문학작품을 읽을 때 상당히 어려움을 느끼곤 하는데, 특히 메이지 시대부터 쇼와 시대 사이에 활약한 대문호 이즈미 교카의 고전 소설을 읽을 때면 완전히 공감하지 못한다는 열등감에 사로잡힌다.

고전 문학작품을 수월하게 읽기 위해서는 글 속에 등장하는 인물들의 시대상을 알 필요가 있다. 셰익스피어의 작품을 읽을 때 작품에 등장하는 남녀관계를 현대적인 감각으로 읽으면 전혀 와닿지 않을 수도 있다. 나와 셰익스피어 사이에 가로놓인 400년이라는 간극을 헤아리자. 다시 말해 셰익스피어가 살던 시대의 사고방식을 미리 알면 그의 작품을 읽기 훨씬 쉽다. 이럴 때 역사적인 지식이 도움이 된다. 늘 숙제처럼 여겨지는 중국 고전도 마찬가지다. 그 시대의 상식을 알고 당시 유행을 염두에 두고 읽으면 훨씬 읽기 편하다.

미뤄두기와 불완전법

문과 사람들로부터 "이과 사람들의 사고방식에 어떤 특징이 있습니까?"라는 질문을 받을 때가 종종 있다. 이럴 때는 항상 "미뤄두기라 할까요?"라고 대답한다.

미뤄두기란 지금 당장 모르는 것, 순조롭게 진행되지 않는 일을 억지로 이해하고 완성하려 붙잡고 늘어지지 않고 무조건 앞으로 나아가는 방법을 뜻한다. 무언가를 찾아보다가 막히는 부분이 나오면 그 부분을 잠시 보류하고 계속 조사한다. 내부 구성이나 원리는 몰라도 기능만 확인하면 되는 블랙박스의 특성을 적용했다고 보면 된다.

미뤄두기는 어디서나 두루 쓰이는 방법이다. 가령 어떤 작업을 할 때 30분 정도 조사했는데 실마리를 찾지 못한다면 다섯 시간을 더 쏟아붓는다고 답이 나올 리 없다. 그러나 큰맘 먹고 옆으로 미뤄두고 다음 단계로 넘어가면 어느새 문제가 해결되어 있다. 전체 상이 보이면 다른 해결책을 찾아낼 확률도 높아지기 때문이다. 이처럼 시간과 노력을 절약하는 것이 미뤄두기의 요령이다.

이러한 미뤄두기는 영문이나 어려운 고전을 읽을 때도 유효하므로 구체적으로 살펴보자. 사전을 찾으면서 글자 하나하나를 심혈을 기울여 해석하다 보면 집중력이 흐려진다. 그래서 전체 내용이 무엇을 말하고자 하는지 가늠하지 못한 채 포기해버릴 때가 있는데, 이런 완벽주의의 함정에 빠지는 것을 막는 방법이 바로 미뤄두기다.

글 속에서 'philosophy'라는 단어가 튀어나왔는데 뜻을 모른다고 가정해보자. 우선 본문 전체 통독을 목표로 해당 단어를 무시하고 계속 읽어나간다. 그러다 보면 전후 문맥을 통해 뜻을 파악해 '생각하는 방법' 비슷한 의미일지도 모른다고 유추할 수 있다. 곧바로 '철학'이라는 단어를 생각해내지는 못할지라도 그에 가까운 개념임을 알게 된다.

수학에 비유한다면 방정식 안에 x나 y라는 변수를 두는 것과 같다. 자주 사용되는 '대수'라는 용어 자체가 숫자 대신 변수를 대입시키는 미뤄두기 기법인 것이다. 특별히 시간을 들여서 전진하지 않을 거면 더 이상 얽매일 필요 없다.

아인슈타인이 일반 상대성 이론(중력장 이론)을 증명하기 위해 중력장 방정식을 세울 때 우주항 공식을 만들어 도입한 예도 이와 비슷하다. 아인슈타인은 우주가 팽창도 하지 않고 수축도 하지 않는다는 사실을 입증하기 위해 공식에 급하게 우주항이라는 상수를 추가했다. 그런데 이게 학자들 사이에서 굉장히 비난받아 아인슈타인 본인도 우주항을 빼야 할지 몹시 망설였다고 한다. 그러나 최근에 이르러 우주는 팽창하며 심지어 속도가 빨라지고 있음이 판명되자 아인슈타인의 우주항 공식이 물리학계에서 부활했다.

여기에서 중요한 점은, 어떤 문제를 해결할 때 시간을 들여서 나아가지 않을 바에는 물고 늘어지지 않아야 한다는 것이다. 곤란한 상황에 부닥쳤을 때 빠른 방향 전환이 미뤄두기의 핵심이다.

또 한 가지 예를 들자면, 과학 분야에서 인간게놈 해독 스토리를 꼽을 수 있다. 1980년대 후반 미국에서 인간게놈 해독의 가능성을 발견하면서 전 세계 생물학자들이 모여 인간의 몸속 미뤄두기는 두루 쓰이는 방법이다. 가령 어떤 작업을 할 때 30분 정도 조사했는데 실마리를 찾지 못한다면 다섯 시간을 더 쏟아부어도 답이 나올 리 없다. 그러나 큰맘 먹고 옆으로 미뤄두고 다음 단계로 넘어가면, 어느새 문제가 해결되어 있다. 전체 상이 보이면 다른 해결책을 찾아낼 확률도 높아지기 때문이다.

수학에 비유한다면 방정식 안에 x나 y라는 변수를 두는 것과 같다. '대수'라는 용어 자체가 숫자 대신 변수를 대입시키는 미뤄두기 기법인 것이다. 특별히 시간을 들여서 전진하지 않을 거면 더 이상 얽매일 필요 없다.

에 수십억 개가 존재하는 게놈(유전자)을 가능한 부분부터 해독하기 시작했다. 연구자들은 나라별, 연구소별로 염색체를 나누어 맡았으며 어려운 부분은 나중으로 미뤘다. 이 해독 과정은 처음에는 벌레 먹은 것처럼 드문드문 비었으나 어느 틈에 전체 해독을 완전히 이루어냈다. 과학자 간의 갈등 및 작업 오류, 해독 비용 등 여러 어려움에도 불구하고 인간게놈 해독은 인류의 위대한 업적이 되었다.

이처럼 미뤄두기를 제대로 활용할 줄 아는 사람이라면 실은 과학자라는 직업이 적성에 맞을지도 모른다. 꼼꼼한 성격이라 하나하나 차근차근 정리해야 하는 사람은 과학자로는 그다지 성공하지 못한다.

자연과학이라는 세계에는 단번에 이해하기 어려운 현상이 많으므로 일일이 따져가며 해결하려 한다면 성공은커녕 노이로제에 걸릴지도 모른다. 아인슈타인이 임기응변으로 우주항을 만들지 않았다면 오늘날의 우주 이론은 전개되지 못했을 것이다.

비단 아인슈타인뿐 아니라 우리도 어떤 문제에 너무 깊이 파고들어 생각의 리듬을 정지시켜서는 안 된다. 벽에 부딪혔을 때는 문제 해결에 전력을 기울이려 하지 말고 일단 멈추고 벽 너머를 바라보자.

불완전법으로 생각하기

미루기의 근본에는 불완전법이라는 가치가 존재한다. 일할 때 가장 중요한 것은 완전한 성취가 아니라 마지막까지 해내는 끈기다. 연구자는 데이터를 완벽하게 조사하지 못해도 논문을 발표하지 않으면 안 된다. 이에 반해 아무리 완벽하게 준비했다 하더라도 남들보다 하루라도 늦게 발표한다면 어떤 평가도 받지 못한다. 따라서 불완전하더라도 데이터를 살려 어디까지 성과라 할지에 승부를 건다.

노벨상을 받을 만한 과학 논문에도 처음 계획을 완벽하게 달성해 발표된 내용은 거의 없다고 해도 좋다. 한정된 재료를 가지고 얼마나 수준 높은 논문을 완성하느냐가 관건이기 때문이다. 다소 조잡한 부분이 있다 해도 기한까지 허용 범위 안에서의 퀄리티로 전체를 완성할 것. 나를 포함한 이과계 연구자들은 늘 '한계'와 '질'의 균형을 의식한다.

새로운 발상이나 이미지가 끊임없이 튀어나오다가도 생각이 멈추는 순간은 자주 온다. 여기에서 필요한 것은 그 아이디어를 억지로 짜내려 하지 않는 기술이다.

말하자면 불완전할 용기를 갖는 것이 매우 중요하다. 인간은 누구나 완전함을 추구하지만 빠른 방향 전환이야말로 불완전의 핵심이다. 완벽을 추구하다가 불안의 늪에 빠져 허덕일 필요가 없다. 불완전법이란 정신적으로도 매우 뛰어난 전술이다.

마지막으로 덧붙이고 싶다. 미뤄두기와 불완전법은 누구나 이해할 수 있지만 알고만 있으면 가치가 없다. 모든 상황에 우선 적용해보기 바란다. 책에서 소개하는 방법을 곧이곧대로 받아들이는 것이 아니라 이 방법이 정말 효과가 있는지 일상에서 실천해보라. 만약에 성공하지 못한다면 얼른 그만두면 된다. 실천하면서 확인하는 것도 과학자들의 방식이다. 그래야만 본인에게 제일 잘 맞는 일의 순서를 짜낼 수 있다.

이과의 요소분해 사고법

이과계 사람들의 독특한 사고방식 중 하나로 '요소분해법'이 있다. 어려운 일에 직면하면 그 일을 먼저 개별 요소로 쪼개 해결하는 방식이다. 나는 중학교 시절 수학 시간에 인수분해를 배울 때 '곤란도 분해하자.'라고 배웠다. 나중에 연구자가 되어서도 현장에서 어려운 과제에 직면할 때마다 과제를 작은 요소로 분해해 해결의 실마리를 찾았다.

요소로 나눈다는 발상은 17세기 철학자 데카르트에서 시작됐다. 그가 제창한, 사물을 잘게 분석하는 방법론 덕분에 자연과학은 비약적으로 진보했다. 데카르트는 맨처음에 신과 물질과의 분리를 시도했다. 정신적인 현상과 물질적인 사실을 나눈 셈이다. 여기에서부터 현대 자연과학이 출발했다. 앞서 언급한 『방법서설』에는 그 경위가 생생하게 적혀 있다.

이 방법을 터득한 후 물질세계에 관한 규명이 명확해졌다. 예를 들어 화학에서는 물질을 원소 단위로 분해했다. 그 결과 화학적 합성으로 플라스틱 등의 새로운 재료가 만들어졌다. 생물학에서는 유전자로 분해해 모든 생물 기능을 해명하려 시도한다. 가까운 미래에는 유전자 결손을 복원해 병의 근본적인 원인을 제거할 수 있는 세상이 열릴 것이다.

요소분해법은 근대문명을 이룩하는 강력한 힘을 발휘했다. 특히 생리학이나 화학 등 기초과학에서 중요한 기반이 되었다. 그러나 요소분해 사고법이 도움을 준 분야는 과학에만 국한되지 않는다. 관념적인 불교 세계에서도 언어를 철저하게 조각내 이해할 필요가 있다. 글에 쓰인 말을 분해해서 그 말이 글 속에서 어떻게 작용하는지 밝히는 것이 중요하다.

그러므로 난해한 책을 독파할 때는 미뤄두기와 요소분해법이라는 두 방법이 편리하다. 다시 말해 '모르는 것은 망설이지 말고 덮어버리기'와 '조각내 생각하기' 기술을 이용하면 유용하다는 뜻이다. 이 두 방법만 터득한다면 각 분야에서 전문적

이과계 사람들의 독특한 사고방식 중 하나로 '요소분해법'이 있다. 어려운 일에 직면하면 그 일을 먼저 개별 요소로 쪼개 해결하는 방식이다. 나도 현장에서 어려운 과제에 직면할 때마다 과제를 작은 요소로 분해해 해결의 실마리를 붙잡았다.

난해한 책도 마찬가지다. 미뤄두기와 요소분해를 활용하면 편리하다. 즉, '모르는 것은 망설이지 말고 덮어버리기' 그리고 '조각내 생각하기' 기술을 접목하는 것이다.

길고 복잡한 문장 앞에서도 기죽을 필요 없다. 주어와 술어 짝에 표시를 해두고, 이 짝이 이루는 단문을 각각 읽어나가면 된다.

인 학식을 갖춘 사람들이 쓴 글에 거부감을 덜 느낄 것이다.

여기까지 요소분해 사고법의 원리에 관해 설명했는데 이제 이것을 적용해 책을 어떻게 읽을지 그 방법론을 설명하겠다.

해독하기 어려운 문장에 대처하는 방법

쉼표가 즐비하고 하염없이 늘어지는 문장을 종종 접한다. 이런 문장을 읽어야 할 때면 이따금 피가 거꾸로 솟는다. 글을 쓴 저자에게 따지러 어디든 찾아가고 싶을 정도다.

문장은 단문, 중문, 복문 세 종류로 나뉜다. 단문은 문장 하나에 주어와 술어 관계가 하나씩만 들어 있는 조합이다. 그리고 "하늘은 파랗고 산은 푸르다."와 같이 단문을 열거한 문장이 중문이다. 주어와 술어의 짝이 둘 이상 포함된 문장이라 해도 좋다. "벚꽃 피는 봄이 찾아왔다."와 같이 주어와 술어 안에 주어와 술어 관계가 하나 더 포함된 문장 구조도 있다. 이 문장에는 '봄이 왔다'라는 주어·술어가 있고 '벚꽃이 핀다'는 주어·술어의 짝이 '봄이 왔다'는 문장을 수식하고 있다. 이게 바로 복문이라 불리는 구조다.

문장에는 이 세 종류만 존재하는데도, 글쓰기에 젬병인 저자가 쓴 문장은 중문과 복문, 수식어가 현란하게 들어앉아 끝없이 길어진다. 그러나 기죽을 필요 없다. 주어와 술어 짝에 표시를 해두고 이 단문을 하나로 묶어가면서 읽으면 된다.

여기에서 짝으로 표시하는 작업을 머릿속으로 해도 좋다. 요는 주어와 술어를 확인하면서 읽는 것이며, 이것이 바로 긴 문장을 쉽게 이해하는 비결이다. 이 방법은 요소분해법에 근거한 독서 기술이다. 초등학교에서 국어 시간이나 중학교 저학년 영어 시간에 주로 이런 방법을 쓰는데, 성인이 읽기 어려운 문장을 읽을 때도 활용할 수 있다.

해독하기 어려운 문장 패턴이 또 하나 존재한다. 스토리가 진행되다가 처음에 꺼낸 주제와 관계없는 방향으로 흘러가 버리는 글이다. 이런 글은 이야기가 옆길로 새 끝맺음이 제대로 이루어지지 않기 때문에 읽다 보면 절로 불안해진다. 예를 들어 "카레 만드는 방법을 이야기하겠다."라고 시작한 문장인데 만드는 방법에 관한 내용은 어딘가로 사라져버리고 '좋아하는 카레 전문점 추천'으로 글이 끝난다. 이런 글을 짜증 내지 않고 계속 읽어나갈 방법은 없을까.

나는 기껏 돈 들여 산 책을 화가 난다고 어딘가에 처박아버리면 이중으로 손해이므로 일단 읽어봐야 한다고 생각한다. 좋은 글이 적혀 있으리라는 기대로 산 이상 그 부분만이라도 읽고 흡수할 수 있지 않겠는가. 따라서 서점에서 책장을 팔랑이며 들춰보다가 의미 있게 다가왔던 페이지의 언저리만이라도 읽는다. 그 부분을 추출한 다음이라면 책은 버려도 좋다.

다시 말해 문장의 치졸함에는 일단 마음을 비우고 찾고자 하는 정보 습득에만 집중하는 것이다. 인간관계에 비유하자면 단점을 보지 않고 장점만 보면서 관계를 이어가는 방법이라 하겠다. 어떤 책이건 한 군데 정도는 좋은 내용이 적혀 있다. 책 전체를 훑으면서 그 내용이 어디에 있는지만 찾아낸다. 이렇게 하면 중문이나 복문이 뒤섞이는 등 문장 자체가 지닌 비논리성은 딱히 거슬리지 않을 것이다.

잠깐 뒷담화를 해볼까. 2장에서 "책이 어렵다면 저자를 탓하라."라고 적었는데, 그런데도 책을 써주십사하고 머리를 조아려야 할 만큼 학식을 갖춘 저자가 있다. 독특한 아이디어나 사상은 갖고 있으나 글쓰기에 익숙하지 않은 이 저자를 어찌할 것인가.

이런 저자는 복잡한 논리를 아웃풋할 때 머릿속에서 생각을 정리한 후에 글로 설명하는 것이 아니라 문장을 적어 내려가면서 생각을 이리저리 조합할 확률이 높다. 그리고 나중에 수정할 시간을 갖지 못한 채 편집자에게 원고를 제출하는 것이리라.

본래 프로 작가는 이런 미숙한 문장을 몇 번이고 고쳐 써서 처음 읽는 독자라도 이해할 수 있게 한다. 이것을 '퇴고'라 하는데, 글쓰기 역량이 부족한 저자라면 수십 번을 고쳐 써야 한다.

그러나 미숙한 저자일수록 퇴고하는 수고를 들이지 않고 자신이 생각한 과정을 원고에 그대로 옮겨버린다. 이런 글은 당연히 독자가 읽기 어렵다. 마감 기일이 코앞으로 다가왔거나 수정할 끈기가 부족한 경우가 이런 사태를 만든다.

솔직히 말하자면 이는 남 이야기가 아니라 바로 내가 늘 고생하는 부분이기도 하다. 체력을 키우기 위해 근력 운동이 필요하듯 글 쓰는 사람에게도 '뇌 근육 훈련'이 꼭 필요하다. 타인을 이해시킬 만한 문장을 쓰는 일은 강도 높은 지적 노동이다.

그러나 뇌 근육 훈련이 충분하지 않은 저자가 쓴 책에도 읽을 만한 문장이 존재하는 것이 사실이다. 이런 사정을 이해한다면 짜증 날 일이 줄어들지 않을까. 저자에게 따뜻한 온기를 담은 시선을 던지면 책 읽기가 한결 편해진다는 말이다. 본래 저자가 독자의 프레임워크를 충분히 고려하는 것이 최우선이지만 독자도 프레임워크 독서법을 잘 활용해주면 좋겠다.

어려운 문장을 만난다 해도 미숙한 저자에게 감정 낭비하지 말고 따스하게 지켜보면서 자신에게 필요한 정보 얻기에 집중한다. 내가 자기계발서에서 주장해온 기술 중 하나로 '감정적으로 흔들리지 않고 목적을 달성한다.'라는 것이 있다. 인간은 감정에 휘둘리면 이성이 발동하기 어렵다. 그러니 책을 구매한 당시의 목적을 떠올리면서 이성의 스위치를 켜자.

한마디로 정리하자면, '책을 읽을 때 흔들리지 마라.' 이것을 '목적 우선법'으로 불러도 좋겠다. 나 같은 과학자는 어떤 소재를 마주하면 그것이 논문으로 쓸 만한 주제인지 늘 머리를 굴리기 때문에 무엇을 접하든 꽤 냉정한 편이다.

4장

다독, 속독, 지독의 기술

4장의 포인트

속독에 어울리는 책과 어울리지 않는 책을 구분한다
지독을 통해 인생의 문장을 만나라
방식을 바꾸어가며 세 번 읽는다
계속 읽지 못하는 것은 시스템의 문제다

대학에서 학생들에게 속도나 방식 등 책 읽는 기술에 관한 질문을 자주 받는다. 속독인가 정독인가, 장시간 독서인가 단시간 독서인가, 책을 읽으며 메모를 하는 게 좋은가 안 하는 게 좋은가, 묵독인가 음독인가 등등.

이런 질문을 받으면 나는 일단 자기 스타일을 확립하는 데 집중하라고 대답한다. 목적이 분명하고 넓은 시야를 갖춘다면 책을 어떤 방식으로 읽건 문제 없다.

여기에서 핵심은 잡다한 정보를 머릿속에 집어넣기 위해 책을 읽는 게 아니라 '지적 생산'이라는 행위를 최종적으로 달성하기 위해 책을 읽는다는 것이다. 그러기 위해 자신의 독서 스타일을 스스로 조정할 필요가 있다. 이번 장에서는 이를 위해 필요한 가치와 기술에 관해 설명한다.

다독과 속독이라는 망령

책 읽기에는 다독과 속독이라는 방법이 있다. 글자 그대로 다독이란 많이 읽는 것이며 속독이란 빠르게 읽는 것이다. 이런 방법을 효과적인 기술로 인식하면 다독법과 속독법이라 표현할 수 있다. 속독법은 자기계발서의 제목에도 심심찮게 등장한다.

그렇다면 다독과 속독이 무엇인지 구체적으로 따져보자. 내가 생각하기에 다독에는 일단 책을 많이 읽는 것 이상의 의미는 없다. 예를 들면 1년에 세 권밖에 읽지 않는 사람 입장에서는 한 달에 서른 권 읽는 사람이 다독가다. 하지만 그것은 책 읽기에 그만큼 시간을 들였다는 사실에 지나지 않는다. 게다가 1년에 세 권밖에 읽지 않는 사람과 한 달에 서른 권을 읽는 사람의 읽는 방식이 별로 다르지 않다면 전자는 독서를 그다지 좋아하지 않는 사람이며 후자는 독서 자체가 취미이거나 거기서 삶의 보람을 느끼는 사람일 뿐이다.

세상 사람들은 다독에 대한 강박관념을 가지고 있는 듯하다.

독서에 관해 물으면 읽어야 하는 책이 끝도 없이 출간돼 어찌 할 바를 모르겠다는 사람이 적지 않다. 사람들은 왜 다독에 목을 매는 것일까.

사람들은 자신이 지식이 부족하지 않을까 하는 막연한 불안을 품고 있다. 그래서 책 읽는 목적을 많은 지식을 얻는 데 두는 사람이 많다. 이런 사람들은 독서만 하면 살아가는 데 필요한 지식을 충분히 채울 수 있다고 믿는다.

이럴 경우 책을 읽다가 모르는 사실을 발견하면 이것도 기억해야겠다, 저것도 머릿속에 집어넣어 둬야겠다는 무의식이 발동한다. 한 권으로는 부족하니 여러 권 아니, 수십 권을 읽고 지식을 풍부하게 쌓아야겠다고 다짐하는 것이다. 이러한 생각이 다독을 향한 강박관념을 만든다.

하지만 지식이란 본래 부족함을 깨달아야 얻을 수 있다. 독서도 마찬가지로, 목적을 정한 후에 부족한 부분을 채워나가면 충분하다. 나 역시 필요성을 느껴 구멍 메우기 식의 독서를 여러 해 동안 해왔고, 그것으로 필요한 지식을 충분히 채웠다. 다독이라는 망령을 두려워할 필요가 없었다.

표현을 바꾸면 다독은 지식 습득을 위한 완벽주의가 초래한 것이다. 그러나 앞에서 이야기한 바와 같이 불완전법을 실천하다 보면 그렇게 많이 읽지 않아도 어떻게든 된다는 사실을 깨

다독에 대한 강박은 지식 습득을 향한 완벽주의가 초래한 것이다. 사람들은 자기 지식이 부족하지 않을까 하는 막연한 불안을 품고 있다. 하지만 지식이란 본래 부족함을 깨달아야 얻을 수 있다. 독서도 마찬가지로, 목적을 정한 후에 부족한 부분을 채워나가면 충분하다. 나 역시 그때그때 구멍 메우기 식의 독서를 해왔고, 그것으로 필요한 지식을 충분히 채웠다. 다독이라는 망령을 두려워할 필요가 없다.

달을 수 있다.

옛날 상황을 예로 들자면, 백과사전에 실린 내용을 달달 외울 필요는 전혀 없다. 요즘 용어를 빌려 말하면, 인공지능이 대신 해주는 일은 인공지능에게 맡기면 된다. 백과사전이나 인공지능과 기 싸움을 할 필요가 없다는 말이다. 이렇게 생각하다 보면 언젠가는 다독에 대한 강박관념을 떨칠 수 있을 것이다.

속독에는 목적이 있다

속독이란 빨리 읽는 방법으로, 다독과는 질적으로 상당히 다르다. 앞서 말한 것처럼 1년에 세 권만 읽는 사람과 한 달에 서른 권을 읽는 사람 사이에는 읽는 방법에 관한 질적인 차이가 없다. 단순히 투자하는 시간이 다를 뿐이다.

그러나 속독으로 책을 읽는 사람과 속독하지 않고 읽는 사람 사이에는 질적으로 큰 차이가 있다. 속독이란 무엇인지 다독과 비교하면서 생각해보자.

속독에는 목적이 있고 다독에는 목적이 없다는 것이 큰 차이다. 결론을 먼저 꺼내놓는 방법으로 '주제문 제시'가 있다. 영어 논문에서 각 단락 도입부에 해당 단락의 내용을 짧게 설명한 것을 말한다. 처음에 제시하는 서너 행 안에 방향성을 명확하게 알려준다. 그러므로 영어 논문을 작성할 때 주제문을 반드시 넣도록 습관을 들여야 한다. 책도 예외가 아니다. 주제문의 내용을 머릿속에 먼저 넣어두면 읽는 속도를 올릴 수 있다.

자, 속독에는 목적이 있고 다독에는 목적이 없다고 했다. 다독은 앞서도 설명한 바와 같이 독서에 시간을 많이 들일수록 읽을 수 있는 책도 늘어난다는 뜻이다. 한편 속독이란 한정된 시간 안에 책 한 권을 다 읽기 위해 사용하는 읽기 기술이다. 가령 사흘 후 프레젠테이션까지 눈앞에 놓인 600쪽 분량의 책을 읽고 설명해야 한다고 치자. 600쪽에 이르는 책을 1년 동안 공들여 읽는다면 평균 하루에 두 쪽씩 읽으면 되므로 그다지 어려운 작업이 아니다. 그러나 이것을 사흘 안에 읽어야 할 때는 속독법이 절실하다. 이때 다독과 질적으로 다른 속독이 탄생한다.

속독에 관해 학생과 이야기를 나누다가 놀란 적이 있다. 우선 그들은 속독이라는 단어를 '1분에 읽을 수 있는 글자 수를 늘려가는 것'이라고 생각하고 있었다. 그러나 속독은 이런 부분적인 기법이 아니라 한 권의 책을 일정 시간 안에 마지막까지 읽는 전체적인 기법을 말한다.

여기에서 중요한 것은 '전체를 일정 시간 안에 파악한다.'라는 것이며 전체와 일정 시간 모두 때와 장소에 따라 달라진다. 절대로 '1분에 몇 문자'라는 숫자로 표현할 수 있는 것이 아니라는 점이다.

이처럼 내가 생각하는 속독이란 저자가 하고자 하는 말의 본질을 문장 안에서 빠르게 흡수하는 기술이다. 하지만 모든 책에 속독이 통하는 것은 아니다. 일의 성격에 따라 혹은 시험 날짜의 제약으로 제시간 안에 책 읽기를 끝내야 하는 경우에 속독이 필요하다. 바꿔 말하면 속독은 어쩔 수 없이 행하는 독서법이며 어떤 의미에서는 이단적인 읽기 방법이다. 이런 읽기 방식은 필요악이라고 생각하는 게 좋다. 사회에서는 속독에 대한 오해가 심하기 때문에 처음에 이 부분을 바로잡아두고 싶었다.

그렇다고 속독이 올바르지 못한 읽기 방법이라는 말은 아니다. 오히려 이렇게 훌륭한 방식이 또 있을까 싶을 정도다. '어쩔 수 없이 써먹는', '대를 위해서는 소를 희생할 수밖에 없는', '창자가 끊어질 듯한 아픔을 견디어야 하는' (표현이 점점 허황하긴 하지만) 독서법임을 명심한 후에 속독법을 적용하면 된다. 나쁘긴 하지만 꼭 필요한 읽기 방식임을 염두에 두고 속독법을 활용하자.

속독에 어울리는 책, 어울리지 않는 책

그렇다면 속독의 기술을 구체적으로 논해보자. 속독이란 말을 들으면 책을 마법처럼 빨리 읽을 수 있다고 기대하는 사람들이 있다. 서점에 가면 『10분 만에 끝내는 속독법』, 『니케이 신문을 막힘없이 읽을 수 있는 속독법』과 같은 제목의 책이 매대를 빼곡히 차지하고 있다. 부분적으로 참고가 될 만한 내용도 있지만 제목에 혹해서 10분 만에 책 한 권을 읽으려 시도해보았자 가능할 턱이 없다.

책 한 권을 10분 만에 읽고 싶다면 나름대로 준비를 해야 한다. 언젠가는 10분 만에 읽을 수 있게 된다 해도 몇 가지 다른 기술을 익힌 뒤 끊임없이 연습해야 그 경지에 도달할 수 있다. 그렇다면 무엇에 중점을 두어야 할까.

책에는 빨리 읽을 수 있는 책과 그렇지 못한 책이 있다. 전자는 기술이 있으면 가능하다. 한편 후자에 속하는 책은 속독법을 사용해도 빨리 읽기 어렵다. 이 차이를 처음부터 알아야 한다.

빨리 읽을 수 있는 책이란 자기계발서나 소설, 실용서, 얇은 문고본이다. 반면 애초에 빨리 읽지 못하도록 만들어진 책은 특정 분야에 관한 내용을 체계적으로 공부하도록 쓰인 전문서다.

빨리 읽을 수 있도록 쓰인 책은 속독법을 이용해 여러 번 읽기 훈련을 하면 읽는 속도를 점점 줄일 수 있다. 앞서 한 달에 서른 권 읽는 사람을 예로 들었는데, 꾸준히 훈련하면 날마다 열 권을 읽는 것도 그다지 어렵지 않게 된다.

반대로 전문서는, 책에 파고들기 전에 밟아야 할 단계가 있다. 짧게 말해 일정 정도의 기초 지식을 습득해놓아야 하는 것이다. 지금 읽으려고 하는 책의 첫 페이지부터 모르는 용어가 등장했다고 치자. 이런 책을 무턱대고 읽다 보면 두 번째 쪽부터 낯선 용어가 쏟아져나와 당황스럽고 다섯 쪽만 읽어도 무슨 말인지 몰라 머리에 쥐가 날 것이다.

이는 읽는 순서가 틀렸기 때문인데, 그 책을 읽기 전에 우선 관련된 입문서를 읽어야 했던 것이다. 가장 중요한 문제는 기초 지식이 없으면 아무리 천천히 읽어도 내용을 모른다는 점이다.

결국 책을 읽을 수 있다는 것은 읽으면서 이해할 수 있다는 뜻이며, 필수적인 기초 지식을 사전에 머릿속에 넣어두었을 때 가능하다는 말이다. 천천히 읽어도 내용을 모른다는 것은 속독 이전의 문제다.

서점에 가면 초심자를 위해 쓰인 책이 많다. 내가 쓴 대부분의 책 역시 지구나 화산을 처음으로 공부하는 사람을 위해 쓰인 책으로 분류된다. 입문서를 서너 권 읽은 정도의 기초 지식이 있다면 처음에 고른 전문서의 내용도 훨씬 쉽게 들어올 것이다. 이후엔 독서가 생각 이상으로 즐거운 작업이 된다.

책 읽기에 빠져 있을 때 사람은 문자를 눈으로 따라가면서 그 의미를 순간적으로 파악한다. 즉 단어나 문법 등 이미 자신의 머릿속에 들어 있는 내용과 비교하면서 하나씩 멈춰 생각하는 과정을 생략하고 문장을 바로 이해한다. 좀 더 정확히 말하자면 글자 모양을 본 순간 문자 자체의 의미를 떠올리는 것이 아니라 단어를 따라가면서 자신 안에 이미 축적된 지식을 기반으로 전체 의미를 파악하는 것이다. 동시에 지금 읽고 있는 내용이 자신에게 필요한 정보인지 아닌지를 시시각각 판단한다. 만일 모르는 단어가 나와도 그것이 지금 알고 싶은 지식인지 아닌지를 체크하면서 문장을 따라가는 것이다. 앞으로 배워서 습득해야 할 지식이라 판단되면 그것이 무엇을 의미하는지 정확하게 몰라도 조금 더 읽어내려 가보자고 무의식적으로 생각한다. 일종의 미뤄두기다.

이런 과정이 원활하게 이루어지면 책을 술술 읽어나갈 수 있다. 반대로 새로운 단어가 자신에게 필요한 지식인지 아닌지 분간하지 못하면 책 읽기는 자꾸 제동이 걸린다. 읽고 있는 내용이 자신에게 가치를 부여할 것이라는 확신이 서지 않으면 독서를 계속하기 불편해진다. 인간은 의미 없는 행동을 이어가지 못하는 동물이기 때문이다.

이런 독서 시스템을 이해하면 속독이 가능한지도 자연스레 판단할 수 있다. 다시 말해 자신이 어느 정도 이해하고 있는 분야 안에서 모르는 단어가 자꾸 보인다면 속독은 가능하지 않다. 또 자신이 이미 갖고 있는 지식 체계를 훨씬 넘어서는 분야의 책도 속독하기 불가능하다.

지독이야말로 속독의 밑거름

세상에는 책 소개, 즉 서평을 업으로 하는 사람들이 있다. 서평가라 불리는 이들은 연간 수백 권이 넘는 책을 읽는 독서의 달인이다. 단순히 계산해도 하루에 한두 권씩은 꾸준히 읽는 셈이며 심지어 다른 사람에게 추천할 책까지 고른다.

나도 그 대열의 맨 끝자리에 간신히 걸터앉아 있기는 하지만, 이런 나조차도 서평가들이 얼마나 많은 책을 훑는지 놀라울 때가 있다. 그런 사람에게 독서 이외의 생활이 존재하는지, 도대체 책을 얼마나 빨리 읽는 건지 신기할 따름이다. 이런 서평가와는 반대로 속독은커녕 읽기 자체가 느려서 고민인 사람도 많다.

사실 책 읽기를 어렵게 생각하는 것은 지극히 당연하다. 책을 술술 읽지 못하는 자신을 우선 인정하자. 속독의 반대 개념으로 지독(遲讀)이라는 단어가 있다. 현실적으로 속독법이 독서계를 주름잡고 있기는 하지만 천천히 읽기라는 방법도 엄연히 존재한다.

각종 속독법은 정보의 홍수 속에서 허우적거리지 않기 위해 열심히 물장구를 치고자 하는 몸부림이다. 물의 흐름이 빠르면 손과 발을 더 빠르게 움직여서 헤엄치면 된다. 힘으로 해결하는 이 기술은 그다지 권할 만하지는 않다.

지독법이란 이런 흐름을 무시하는 방법이다. 빠른 물줄기에 접근하지 않고 자기만의 속도로 독서를 이어간다. 사실 이 지독이 익숙해진 다음 단계에 속독이 위치한다. 지독이 충분히 기능한다면 읽는 속도는 저절로 빨라진다.

지독의 핵심은 자신의 인생에 남을 만한 명문장을 만나기 위해 유념해 책을 읽는 데 있다. 현재 자신에게 가장 중요한 내용을 하나라도 발견한다면 성공한 독서라고 보는 것이다. 만일 읽은 책의 내용을 잊어버린다면 독서 자체가 자신에게 불필요했던 것이다. 우선 의미 있는 정보를 전부 얻어야 한다는 강박관념에서 벗어나자. 책에서 얻는 가치는 세상의 척도와 관계없으며 내 멋대로 정해도 좋다.

각종 속독법은 정보의 홍수 속에서 허우적거리지 않기 위한 몸부림이다. 물살이 빠르면 손발을 더 빠르게 움직이면 된다. 쉽게 말해, 힘으로 해결하는 기술이다.

지독법은 이런 흐름을 무시하는 방법이다. 빠른 물줄기에 접근하지 않고 자기만의 속도로 독서를 이어간다. 사실 지독이 충분히 기능한다면 읽는 속도는 저절로 빨라진다.

지독의 핵심은 인생의 문장을 만나겠다고 유념해 읽는 것이다. 현재 자신에게 가장 본질적인 내용을 하나라도 발견한다면 성공한 독서라고 보는 것이다. 마음 내키는 대로 책과 대화하는 방법을 스스로 발견하는 과정이다.

가끔 지독에 어울리는 책으로 동서고금의 고전을 열거하는 사람이 있는데, 고전은 교양을 쌓는다는 명분으로 읽는다 해도 오래 읽기가 어렵다. 역시 읽으면서 자기 안의 동기를 발견하지 못하면 독서가 고행일 수밖에 없다. 책을 읽는 행위가 곧 교양을 쌓는 행위라는 착각이 일상생활에서 책을 멀리하게 만드는 셈이다.

지독이란 그저 천천히 읽으면 되는 속독의 반대 개념이 아니다. 지독이란 자신을 되찾는 읽기 방식이다. 책을 읽는 시간 자체가 즐거움이라는 편안한 마음을 가질 수 있을 때 비로소 지독이 빛을 발한다. 마음 내키는 대로 책과 대화하는 방법을 스스로 발견하는 과정이야말로 지독을 실천하는 소중한 시간이다.

속독법은 배울 필요 없다

앞서 말했듯이 세상에 널린 속독법의 대부분은 그다지 권할 만하지 않다. 속독은 초보자에게는 별 의미 없는 기술이며 책을 읽는 데 오히려 방해가 된다. 속독법에 관한 책을 읽을 여유가 있다면 그 시간에 눈앞에 놓인 다른 책을 읽는 게 낫다. 방법론에만 지나치게 집착해 정작 중요한 작업을 할 시간을 놓치는 게 훨씬 안타깝다.

이것은 자기계발서를 좋아하는 사람이 자기계발서 읽기에 빠져 정작 자기 계발에 쏟을 시간과 에너지를 낭비하는 현상과 비슷하다. 속독법 따위는 처음부터 포기하고 지독에 철저히 집중해 시간을 최대한 활용하는 쪽이 결과적으로는 책을 빨리 읽는 방법이다.

예를 들어 속독과 비슷한 '대각선 읽기'라는 기술이 있다. 이 기술에는 간단한 요령이 몇 가지 있다. 먼저 문장 속에서 '다시 말해'라는 표현에 주목하면서 이 단어를 찾는다. 보통 이 단어 뒤에는 요약 설명이 이어지므로 그 요약 내용을 머릿속에 먼저 집어넣는 것이다. '다시 말해'로 이어지는 문장을 먼저 읽고 이해가 안 되는 경우에만 그 앞 문장을 이어서 읽으면 된다.

이런 방법은 조금 익숙해지면 금방 따라 할 수 있다. 속독법을 담은 두꺼운 책이 알려준 방식과 같은 훈련을 거듭해야 나오는 기술은 아니라는 말이다. 속독을 위한 세세한 매뉴얼 따위는 필요 없다.

이 책에서 내가 제안하는 방법들은 조금만 알면 "아, 그거였어?" 하고 당장 실행할 수 있는 간단한 방법들이다. 과장된 훈련이나 오래 공을 들여 연습해야 하는 기술은 애초에 습득할 필요가 없다. 그런 연습을 할 시간이 있다면 일단 손에 든 책을 펼치고 '다시 말해'라는 표현을 찾으면 된다.

내가 강조하고 싶은 말은, 의식을 조금만 바꾸어보라는 조언이자 제안이다. 다독이나 속독이라는, 세상이 정해놓은 표현을 무조건 받아들이려 하지 않는다면 책 읽기를 둘러싼 세계가 달라진다는 사실을 깨닫기 바란다. 이쯤되면 2장에서 서술한 "책이 어렵다면 저자를 탓하라."라는 메시지 역시 같은 맥락임을 눈치챈 독자도 있을 것이다.

시스템 변경에 따른 손실 최소화하기

새로운 기술이나 기법을 익힐 때 생각해야 할 점이 하나 더 있다. 속독법이건 학습법이건 새로운 방법론을 도입하기 위해서는 나름의 시간과 에너지를 투자해야 한다는 사실이다. 말하자면 기존의 시스템을 변경하려면 대가를 치러야 한다는 것. 세상에는 기존의 것을 새로 바꾸려면 무엇이건 환영해야 한다고 생각하는 사람이 있지만, 무조건적인 수용은 원만한 전체 흐름을 방해한다.

시스템 변경에 따른 에너지 손실을 최소한으로 줄이고자 하는 발상이 이과식 접근 방법의 기본 사고다. 만일 변경을 위해 치러야 할 대가가 크다면 시스템은 그대로 유지하는 게 낫다. 이게 바로 과학적인 방법론이다.

속독과 지독에 관한 이야기로 돌아가 보자. 앞서 말했듯이 일상생활 속에서 지독을 완벽하게 수행할 수 있어야 비로소 속독을 생각할 수 있다. 지독이 익숙해야 속독이라는 새로운 읽기 방식이 가능하다. 지독에서 속독으로 자연스레 이어져야 한다는 점이 중요하다. 세상에서 말하는 속독법 따위를 이용해 읽기를 서둘러 끝내려 한들 그것은 억지 춘향에 불과하다.

속독이란 '하려고 애쓰는 것'이 아니라 '어느새', '저절로' 빨리 읽게 되는 것이다. 책을 속독으로 급하게 이해해서는 결코 안 된다.

방식을 바꿔가며 세 번 읽는다

그럼 이제부터 속독과는 조금 다른 방법에 관해 얘기해보자. 읽어야 할 의미가 있는 분야의 책으로 그 내용을 머릿속에 완전히 집어넣고 싶다면 그 책을 세 번 반복해 읽기를 권한다. 방식을 각각 바꿔가며 각기 다른 세 가지 목표를 세워 세 번 읽어나가는 것이다.

처음에는 책장을 슬슬 넘기면서 기억하고 싶은 부분만 눈으로 좇으며 마지막까지 훑는다. 집중해 읽기는 하지만 전체적으로 대충 어떤 내용이 적혀 있는지만 알면 충분하다. 이때 '훑는다'라는 표현은 이 읽기 방식에 가장 적합한 단어다.

두 번째에서는 스스로 중요하다고 여긴 문장의 앞뒤 부분을 자세하게 읽는다. 즉 해당 책을 읽으려 한 동기에 부합하는 내용이 적힌 페이지를 읽는 것이다. 가령 모두 10장으로 나뉜 책에서 세 번째 장에 핵심 내용이 있다면 그 장만 읽겠노라 정해 놓고 시간을 들여 읽어도 좋다.

세 번째에는 처음부터 한 번 더 통독하면서 더욱 흥미가 돋는 부분을 찾아 읽는다. 그러다 보면 처음과 두 번째에 읽을 때 알아채지 못한 부분을 발견하는 일이 종종 있다. 게다가 세 번째 읽기에서 발견한 곳이 사실은 자신에게 가장 필요한 내용일 때도 있다. 이는 첫 번째와 두 번째 읽기를 통해 저자의 생각을 이해하고 자신이 책에서 얻고자 하는 목표가 명확해졌기에 가능하다. 자신이 찾고자 한 내용을 발견했다면 이번에는 그 부분을 집중해 정독해본다. 이 과정에서는 글을 읽다 멈추고 자기 생각과 부합하는 지점을 찾거나 메모를 하는 등의 숙독을 실행하면 더욱 좋다. 책 읽기에서 가장 집중력을 발휘하는 시간이다.

그리고 마지막에 자신이 만족하는 상태에 이르렀다면 독서를 중단한다. 독서는 앞으로도 오래 이어질 것이기에 한 번에 한 권 전체를 정독하지 못해도 상관없다. 오히려 시간차를 두고 기분 전환을 한 후에 다시 읽어나가는 방법이 효과적이다. 머릿속에서 생각의 정점에 도달했다고 느낀 순간 독서를 종료한다.

최초의 목적이었던 지식을 얻은 시점에서 멈춰도 좋다. 목적 달성도 독서의 중요한 작업 중 하나며 달성된 시점에서 한 가지 일은 완료한 셈이니 말이다. 또한 독서 중에 뭔가를 새로 발견하거나 뜻밖의 사고가 발동하기도 한다. 이런 때는 멈추었다가 시간 여유를 두고 독서를 다시 시작하는 게 좋다. 이렇게 세 번의 독서로 필요한 정보를 얻는다.

책을 한 번에 독파하려고 욕심을 부리지 말자. 자신에게 의미 있는 정보를 얻고 생각의 깊이를 더하는 시간을 갖는 것이 독서의 목적이다. 나아가 내용을 완전히 습득하고 싶은 책을 선별하는 작업의 중요성도 첫 번째 읽기에서 알게 된다. 원래 자신의 인생이 바뀔 만한 책은 몇 번이고 읽고 싶은 법이다. 이런 책을 만나는 일도 세 번 읽어야 경험할 수 있다.

읽기 방식을 바꿔가며 세 번 읽다 보면 읽을 때마다 각 방식의 의미를 이해하게 된다. 이것은 해보지 않으면 절대 모르고, 해보면 절로 납득할 수 있는 방법이다. 어떤 기술이든 마찬가지겠지만 알기만 한다고 끝나는 것이 아니므로 우선 실천해보기를 바란다.

슬럼프에 빠졌을 때

"책을 읽자!" 하고 마음먹고 독서를 시작했으나 도중에 좌절하는 경우가 무수히 많다. 아이가 열이 나서, 프로젝트 때문에 야근을 해서……. 독서를 방해하는 이유는 얼마든지 있다. 그러다 보면 처음의 의지는 사라지고 다시 원점으로 돌아가 있다.

독서를 계속하기 힘들 때 대부분의 사람은 의지가 약하다고 자책한다. 그리고 "어차피 나는……" 하고 자조 섞인 푸념을 늘어놓는다. 하지만 작심삼일이 꼭 의지만의 문제는 아니다. 이때가 바로 '독서 시스템' 점검이 필요한 시점이다. 독서 시스템이란 방황이나 열등감, 혹은 공부에 대한 혐오를 피하기 위한 방책이다. 사람들은 대개 '나는 의지가 약해.'라면서 쓸데없는 자책을 하는 탓에 괴로움의 악순환에 빠진다. 그러나 독서에 집중하지 못한다고 해서 자신의 의지를 절대로 책망하지 말자. 자신이 만들어놓은 독서 시스템이 문제라 생각하자. 시스템이 어쩌다 맞지 않아서일 뿐이며 나는 아무런 잘못이 없다, 시스템은 언제든 변경할 수 있다고 말이다.

자신의 시스템을 제삼자의 입장에서 객관적으로 볼 필요가 있다. 스스로 세운 계획을 제대로 지키지 못한다면 그 계획을 독서에 집중하지 못한다고 해서 절대 자기 의지를 책망하지 말자. 자신이 만들어놓은 독서 시스템이 문제라 생각하자. 시스템이 나와 맞지 않을 뿐이며, 시스템은 언제든 변경의 여지가 있다.

시스템화하는 방법의 하나로, 복습은 최고의 마중물 기술이다. 독서 시간의 10분의 1 정도를 복습으로 시작하면 궤도에 쉽게 오를 수 있다. 이 단계가 제대로 움직여준다면 새로운 일에도 도전할 수 있는 긍정적인 기운이 샘솟는다.

일단 남의 일처럼 관망하자. 애초에 계획에 얽매이는 것 자체가 문제다. 스케줄이 미뤄졌다고 부담을 지닌 채 읽는 속도를 달리하는 일은 아무런 소용이 없다. 완벽주의자가 될 필요는 없다. 자신에게 화살을 돌리기보다 불완전한 채로 용기를 내는 게 중요하다. 그런 다음에 시스템에 문제가 없는지 점검해보자.

큰맘 먹고 시스템 자체를 재정비하는 것도 방안이 될 수 있다. 이런 상황은 자기만 알고 있으므로 누구에게도 방해받지 않는다. 가장 하기 쉽고 제일 잘하는 일부터 시작하도록 설계하면 된다. 1장에서 소개한 마중물법을 활용해보자. 우선 기존에 읽었던 술술 잘 읽히는 책을 다시 읽는 건 어떨까. 말하자면 워밍업이다. 그렇게 자기만의 페이스를 되찾은 후에는 읽어보지 않은 새로운 책을 읽기 시작한다.

복습이야말로 최고의 마중물 기술이다. 독서에 쏟는 시간의 10분의 1 정도를 복습으로 시작하면 원하는 궤도에 쉽게 오를 수 있다. 이 단계에서 제대로 움직여준다면 새로운 일에 도전할 수 있는 긍정적인 기운도 생겨난다. 이것도 독서를 시스템화하는 하나의 방법이다.

그러나 아무리 애써도 의지가 전혀 솟지 않는 사태에 직면하기도 한다. 소위 말해 슬럼프 상태다. 슬럼프는 뇌가 보내는 매우 심각한 신호이므로 죄의식을 느낄 필요는 없다. 아무리 뛰어난 인물이라도 반드시 슬럼프를 맞는다.

슬럼프에 빠졌을 때에는 슬럼프에게 '어서 오렴.'하고 받아들일 수 있을 만큼의 정신력이 필요하다. 이러한 정신력이 빠른 탈출을 돕는다. 나는 슬럼프가 오면 '야호!' 하고 넘겨버린다.

중요한 점은 슬럼프에 빠져도 초조해하지 않는 것이다. 슬럼프는 뇌가 보내는 휴식 명령이기도 하고 지금 선택한 방법에 근본적으로 무리가 있다는 신호이기도 하다. 저항하지 말고 순순히 따르자.

계획이 제대로 실현되지 않으면 변경해도 좋다. 자신과 어울리는 시스템이 완성될 때까지 끊임없이 개조해나가자. 독서 시스템은 궁극적으로 자신에게 맞추는 것이 목적이기 때문이다.

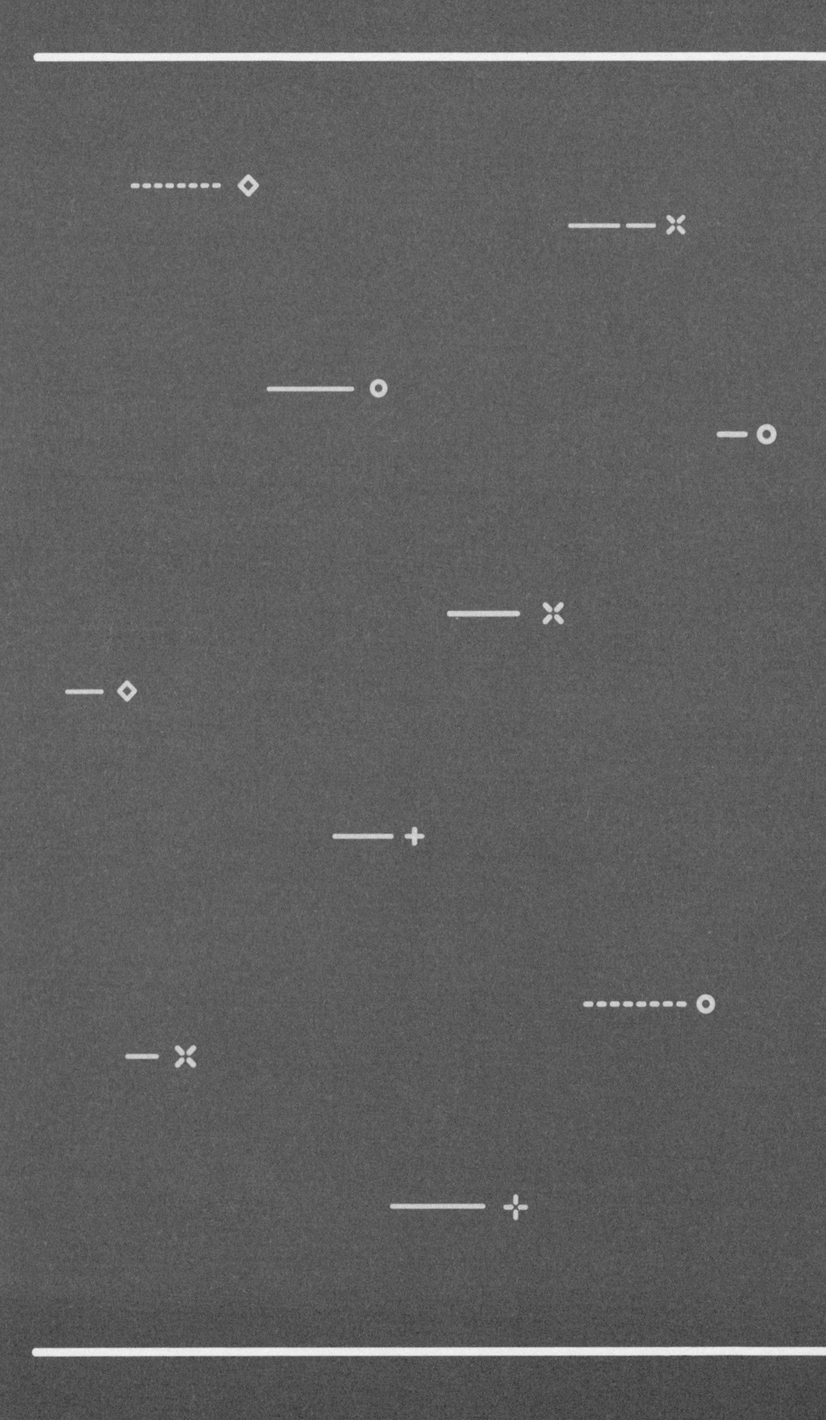

2부

◇

일과 공부에 효과적인 독서법

5장

결과를 만들어내는 독서

5장의 포인트

지적 소비와 지적 생산을 구분한다
해결할 수 있는 문제부터 접근한다
나눗셈법으로 읽는다
주어진 시간 안에서 정보를 수집한다

"아는 것이 힘이다."라는 명언은 16세기 영국 사상가 프랜시스 베이컨이 남긴 말이다. 나는 지식의 원천이 예나 지금이나 독서에 있다고 믿는다. 살아가면서 혹은 일을 하는 도중에 난제에 직면했을 때 책에서 얻은 지혜로부터 구원받으며 지금에 이르렀기 때문이다.

이번 장에서는 '행동하기 위한 독서'를 제안한다. 나는 모든 지식을 소비되는 지식과 결과를 내기 위한 지식으로 구분한다. 인생에 도움을 주고 결과를 내야 비로소 행동하기 위한 독서가 성립한다.

결과를 내기 위한 지식의 핵심은 정보를 얻는 방법에 있다. 인간은 행동하기 위해 가치 있는 정보를 모으는데, 이 정보에는 두 종류가 있다. 바로 인포메이션(information)과 인텔리전스(intelligence)로, 인포메이션은 흩어진 정보, 인텔리전스는 잡다한 인포메이션이 조합해 만들어내는 의미 있는 메시지다.

프랜시스 베이컨이 말하는 "아는 것이 힘이다."라는 상태에 도달하려면 우선 인포메이션에 해당하는 정보를 모아야 한다. 이후 그 정보들을 취합해 인텔리전스까지 이르러야 독서가 쓸모 있는 역할을 한다.

여기에서 중요한 것은 책을 읽기 위한 테마 설정이다. 어떤 목적으로 책을 읽는지 스스로 질문해보자. 목적이나 과제가 명확하다면 책을 효율적으로 읽을 수 있다. 나는 이를 '목적 우선법'이라 이름 지었는데, 결과를 내기 위한 독서는 반드시 목적이 분명해야 한다는 의미다.

주제를 분명히 하고자 목적을 처음부터 너무 좁게 잡아버리면 최종적인 아웃풋마저 작아진다는 위험이 존재한다. 책을 읽으면서 자신의 시야가 넓어지도록 의식적으로 뇌를 열어놓아야 한다. 말하자면 지적 호기심이 지속되도록 해야 한다.

물론 처음부터 폭넓은 시야가 펼쳐진다면 더할 나위 없겠으나 쉽지 않은 일이다. 그러므로 시야를 넓히는 것을 의식하면서 독서를 계속해나간다면 실제 그렇게 되게 마련이다.

지금까지 내가 해온 연구와 집필의 가장 큰 특징은 아웃풋을 우선했다는 점이다. 나는 단순한 아이디어를 구체적인 문장이나 기획으로 승화하기 위한 효율적인 방법을 늘 모색하고 개선해왔다.

독서 역시 모든 과정을 아웃풋이라는 최종 생산물을 내기 위해 결정해가는 작업이다. 목적을 선행시키면 독서 상황은 일변한다. 독서를 할 때 아웃풋을 우선하면 생산성이 향상될 뿐 아니라 책을 읽는 행위가 다음 단계를 열기 위한 인풋으로 발전해간다.

아웃풋을 우선하는 독서는 세 단계를 거친다. 첫째, 독서를 통한 정보 수집과 정리, 둘째, 독서로 수집하고 정리한 정보를 재료로 만들어내는 창조적 발상, 셋째, 아웃풋 실행과 미래를 위한 준비다. 한마디로 말하자면 '모아서 정리한다', '아이디어를 얻는다', '아웃풋으로 미래를 준비한다'라는 세 줄기로 구성된다.

지적 소비와 지적 생산을 구분하라

먼저 지적 소비와 지적 생산을 구별하는 방법부터 설명하겠다. 지적 생산이란 보고서, 기획서, 논문, 서류 등을 작성하는 일로, 지적 가치가 높은 내용을 모아 기록하는 행위를 의미한다.

반면 지적 소비란 책을 읽거나 장기를 두거나 교양 있는 대화를 나누는 등 지적인 활동이기는 하지만 직접적인 생산으로 이어지지 않는 행위를 말한다.

지적 소비에는 교양을 쌓는 내용이 많은데, 이 교양은 인생을 풍요롭게 하는 면이 있다. 그러나 여기에 과도하게 집착하면 지적 아웃풋에서 멀어진다는 폐해가 발생한다. 쉽게 말하자면 지적 생산은 이과에서 추구하는 방식이며 지적 소비는 문과의 특기다.

이와 같은 지적 생산과 지적 소비의 차이를 잊지 말기 바란다. 지적 활동을 했다고 해서 정보를 생산한다고 볼 수는 없다. 바둑이나 장기는 매우 지적인 활동이지만 프로 기사가 아닌 이상 지적 소비에 불과하다.

그리고 정해진 기한 안에 지적 생산을 효과적으로 실행하기 위한 생각과 방법을 습득하는 것이 독서가 추구하는 목표다.

어떤 행동을 하건 현재 하는 행동이 지적 생산인지 지적 소비인지를 자문해보자. 양쪽의 특성이 모두 나타난다고 해도 비중이 높은 쪽에 치중하면 된다.

물론 지적 소비가 나쁜 것은 아니다. 지적 소비를 지적 생산과 확실하게 구별해야 정보 생산의 의미가 명확해진다고 말하고 싶은 것이다. 무엇보다 이것을 구별하는 행동 자체가 중요하다. 이 행동에서 아웃풋 우선의 사고가 시작된다. 우선 지적 활동에는 두 가지 요소가 있으며, 지적 소비와 지적 생산으로 나뉜다는 생각으로 출발하자.

지적 소비에 관해 영어학자인 와타나베 쇼이치가 상당히 재미있는 견해를 내놓았다. 어학 공부는 위험하다는 것이다.

예를 들어 그리스어나 라틴어를 배우기 시작하면 이 언어들을 마스터하기 위해 수년에서 수십 년의 시간을 투자해야 한다. 게다가 그리스어나 라틴어를 사용해 아웃풋을 실행하려면 더욱 열심히 공부해야 한다. 그리스어나 라틴어의 원전을 사전을 뒤져가며 읽으려 하면 얼핏 지적 활동을 하고 있는 듯 보이지만 인생 전체를 두고 봤을 때 열매도 못 맺는 나무에 날마다 물을 주는 꼴이다.

이는 근본적으로 시간을 들여 공부한다는 데 맹점이 있다. 게임하는 시간은 쓸데없는 시간 낭비인 것 같지만 그리 문제가 되지는 않는다. 처음부터 소비의 시간이라 생각하기 때문이다. 즉 지적 소비는 과정을 즐기는 것이 목적이므로 어느 지점에서 끝내든 상관없다. 과정이 재미있으면 그만이며 어떤 목표에 도달하지 않아도 개의치 않는다. 그러나 지적 생산을 목표로 하는 경우 최종 성과를 얻지 못하면 모든 것이 물거품이 된다. 그러니 지적 생산으로 이어지지 않는 공부를 하는 시간이 가장 아깝고 위험하다는 것이다.

이는 어학 공부에만 국한된 것이 아니라 과학자들이 시간을 관리하는 데에도 가장 중요한 문제다. 나는 해야 할 일의 리스트를 만들어 각각의 달성 기대치를 정확하게 세운다. 한편으로는 실패할 가능성도 기록한 다음 전체를 한 곳에 모아 본다. 그리고 달성할 확률이 높은 주제를 몇 가지로 압축하고 남는 주제는 모두 포기한다. 이렇게 하면 지적 생산의 결과를 높일 수 있다. 바꾸어 말하면 지적 소비에서 그칠 위험을 최대한 줄인다. 나는 이런 방식을 '일망(一望)법'이라 부른다.

여기에서 중요한 키워드는 '불완전'과 '포기'다. 불완전을 허용한다는 말은 목적 달성을 위해서라면 막 시작한 일이어도 버릴 수 있다는 뜻이다. 완벽주의로부터 도망치는 것이라 해도 좋다. 완벽주의란 자기만족일 뿐이기 때문이다. 더욱더 좋은 결과를 내고 싶은 욕심에 필요 이상으로 주제를 모으거나 사색함으로써 스스로 만족하고 안심한다. 그러나 이런 행동은 아웃풋에서는 점점 멀어져가는 길이다. 일단 완벽주의에 빠지면 언젠가는 그것의 노예가 되어 버린다. 그렇기에 불완전함을 인정하고 선택에서 제외된 내용은 두 눈 꼭 감고 '포기'해야 한다. 이

나는 해야 할 일의 리스트를 만들어 각각의 달성 기대치를 정확하게 세운다. 실패할 가능성도 기록한다. 그리고 달성할 확률이 높은 주제를 몇 가지로 압축하고 남는 주제는 모두 포기한다. 이렇게 하면 지적 생산의 결과를 높일 수 있다.

여기에서 포인트는 '불완전'과 '포기'다. 완벽주의란 자기만족일 뿐. 더 좋은 결과를 내고 싶은 욕심에 필요 이상으로 주제를 모으거나 사색함으로써 스스로 만족하고 안심한다. 그러나 이런 행동은 아웃풋으로부터는 점점 멀어져가는 길이다.

점이 지적 소비와 지적 생산을 나누는 기준이며 이런 사고방식이 3장에서도 언급한 '불완전법'이다. 불완전주의야말로 최소한의 에너지로 최대의 지적 생산을 할 수 있는 지름길이다.

예를 들어 내가 연구하는 주제 중에 데이터 100개를 모아 논문을 쓰고 싶은 케이스가 있다고 해자. 여기에서 100개를 모으고 싶다는 건 내 희망이며 스스로 만족하기 위한 숫자에 불과하다. 실제로는 70개의 데이터로 충분히 논문을 쓸 수 있기 때문이다. 이때 70개의 데이터는 지적 생산에 실제 필요한 것이지만, 나머지 30개는 지적 소비로서 자기 만족을 위한 것이라고 판단할 수 있어야 한다.

이와 마찬가지로 독서를 할 때도 완벽주의와 자기만족에서 헤어나와야 한다. 책에서 필요 이상으로 정보를 얻으려 하지 않는 '노력'은 지적 생산을 즐겁고 오래 이어갈 수 있는 중요한 요소다. 지금까지 소개한 일망법, 라벨 해독법, 불완전법은 이 책에서 가장 중요한 독서법이다.

풀 수 있는 문제와 풀지 않는 문제

독서의 목적을 명확히 하라고 했는데 그

렇다면 명확한 목적 설정은 어떻게 해야 할까? 여기에서는 물리학자인 나카야 우키치로 교수가 제창한 방법론을 소개하겠다. 나카야 교수는 저온물리학(액체 헬륨의 끓는점인 -269℃ 이하의 저온 상태에서 물질의 성질을 연구하는 분야—옮긴이)의 세계적 권위자이며 홋카이도 대학 교수를 역임했다. 이과에 속한 사람으로는 드물게 문학적 재능을 타고난 인물로 이와나미 출판사에서 눈이나 천둥에 관한 에세이를 출간하기도 했다. 또한 일반인을 위해 과학의 방법론을 해설한 『과학의 방법』(AK커뮤니케이션즈)도 집필했다. 이 책에서 나카야 교수는 먼저 과학의 한계에 관해 술회한 후 사람들이 무비판적으로 과학을 수용하는 현실에 경종을 울렸다. 그는 이렇게 주장한다.

"문제의 종류에 관한 한, 훨씬 간단한 자연현상이라도 과학이 개입할 수 없는 문제가 존재한다. 이것은 과학이 무력해서가 아니라 과학이 접근해서는 안 되는 신의 영역이기 때문이다."

즉 여기에서 나카야 교수는 '풀지 않는 문제'의 존재를 제기하고 있다. 과학자가 자연의 모든 영역을 해명할 수 있어야 한다는 생각은 오산이며 과학은 자연현상 중에서 다룰 수 있는 부분만 추출한 것에 지나지 않는다는 말이다. 세상에는 과학이나 종교를 신앙처럼 맹신하거나 반대로 무작정 두려워하고 적의를 품는 사람이 적지 않는데, 위에서 말한 내용을 이해한다면 쉽게 휘둘리지는 않으리라.

과학은 현상을 수치로 나타내고 수학을 이용해 일반화한다. 사실 수치로 표현하는 것 자체가 자연을 인간의 사고 형식에 끼어 맞추어 인식하는 것에 불과하다. 나카야 교수가 한 말처럼 "자연계에는 숫자라는 것이 존재하지 않는다. 숫자는 인간이 자연계로부터 추상해 만들어낸 것이며 굳이 말하자면 인간의 머릿속에서 만들어진 것."(같은 책)이란 말이다.

그렇다면 과학적인 접근 방법에 어떤 의미가 있는 것일까. 나는 자연과학이 언제나 풀 수 있는 문제에 집중했다는 점에 의의를 두고 싶다.

과학자는 인류가 얻은 지식을 총동원해서 풀 수 있는 문제를 찾아내고 여기에 시간과 에너지와 자금을 투입해 논문을 쓴다. 과학자의 세계에는 'publish or perish(논문을 쓸 것인가 아니면 소멸할 것인가)'라는 표현이 있다. 풀지 못한 문제를 아무리 많이 쟁여놓는다 한들 그것은 논문 한 권의 가치보다 못하다. 살아남은 연구자는 모두 풀 수 있는 문제와 풀지 못하는 문제를 선별하고 있다. 즉 과학자는 지력을 동원해 풀 수 있는 문제만 다루어온 것이다.

세상에는 아무리 시도해도 해결할 수 없는 일에 막대한 에너지를 쏟는 사람이 있다. 반면에 현명한 과학자는 풀 수 있는 문제부터 접근하면서 실적을 만들고 풀지 못하는 문제는 뒤로 미룬다. 이때 풀지 못하는 문제는 '풀지 않는' 문제로 탈바꿈한다. 풀 수 있는 문제를 푼다는 자세는 내가 말하는 불완전법과도 맞물린다. 이것은 예측 불가능한 미래에 대처하는 중요한 방법론이다. 또한 가능한 일부터 먼저 처리하자는, 자기계발서에서 흔히 볼 수 있는 방법론과 통하는 면이 있다.

여담으로 나는 학생 때 나카야 교수의 『과학의 방법』을 처음 읽었는데, 다소 산만한 독서 생활을 하고 있던 내게 강한 인상을 남겼다. 오만한 마음이나 감정을 배제하고 풀 수 있는 문제에 집중하라는 태도를 가르쳐주었기 때문이다. 뛰어난 과학 수필이기도 해서 학생들에게 아웃풋 우선의 독서 기술을 습득하는 데 도움을 얻을 만한 부교재로 추천하곤 한다.

전체적 틀을 짜고 빈칸을 채운다

다음으로 정보 수집 방법에 관해 이야기해보자. 지적 생산을 실행하기 전에 자료나 정보를 가능한 한 많이 모으고자 하는 독자가 있을 줄로 안다. 정보를 모으다가 필요 이상으로 그 양이 많아져 주체하지 못하고 쌓아두기만 하지는 않았는지? 이런 현상은 많은 사람에게 나타나는 인풋 편향주의다. 독서에 비유하자면 4장에서 다룬 다독을 향한 맹신이 이에 해당할 것이다.

불필요한 과정을 생략하고 지식을 효율적으로 생산하기 위해서는 일의 전체 구조를 먼저 파악해야 한다. 어디가 부족하고 거기에 무엇을 채워 넣어야 완성에 가까울지 직감으로 판단하자. 앞으로 해야 할 일의 전체 구조를 먼저 그려놓는 것이다. 이것이 '틀 짜기'다.

나는 완성될 틀을 가능한 한 빨리 그려본다. 아웃풋할 주제를 정한 뒤 글로 옮기기 전에 전체적인 틀을 짜놓는 것이다. 그 후에 부족한 정보만 책에서 골라내 내용을 완성한다.

머릿속에 지식을 아무리 많이 집어넣어도 사용하지 않으면 의미가 없다. 모든 정보를 모은 후에 움직이려는 방법은 불필요한 잡동사니만 늘린다. 그런 방법은 시간에 쫓기지 않고 일을 하거나 교양을 깊이 쌓으려 할 때는 좋지만, 생산 효율을 높이기에는 적절한 대책이 아니다. 당장 해결해야 할 아웃풋을 목표로 틀 안에서 부족한 부분만 보완하는 방법이 효율적이다.

과학자는 새로운 아이디어가 있을 때 그것을 실증하기 위해 곧바로 실험을 해본다. 그 결과를 기술하고 마지막에 고찰을 덧붙여 짧은 논문을 작성한다. 이런 논문을 쓸 때 연구자는 어떤 방식을 취할까.

아웃풋을 우선하는 과학자는 실험하기 전에 먼저 논문을 작성해놓는다. 대부분의 선배 과학자들이 실험할 때 이미 사용한 방식이다. 기존에 실험한 적이 있는 유경험자가 방법이나 데이터, 고찰 결과를 논문으로 내놓았을 것이므로 후배 과학자들은 그 논문의 틀을 그대로 물려받아 자신의 논문에 적용한다. 실험 결과의 숫자 부분만 공란으로 비워두고, 머리말이나 맺음말, 예를 표하는 문장까지 쓸 수 있는 부분은 전부 써놓는다. 그리고 자신이 행한 실험에서 얻은 숫자를 공란에 채워 논문을 완성시키는 것이다. 현대 과학자들은 이런 식으로 생산 효율을 높이고 있다.

나눗셈법으로 읽기

틀 짜기 방법이 도움이 되는 이유는 그 방법이 여러 개의 작업을 병행하는 '타임 셰어링'이라는 시스템을 활용하고 있기 때문이다. 타임 셰어링이란 문자 그대로 머릿속에서 시간을 구분하면서 공유하는 것을 의미한다. 타임 셰어링이란 용어는 많은 사람이 대형 컴퓨터를 사용하는 경우에 동시에 이용할 수

나는 가능한 한 빨리 생산할 결과물의 완성될 틀을 그려본다. 글로 옮기기 전에 전체적인 틀을 짜놓는 것이다. 그 후에 부족만 정보만 찾아서 내용을 완성한다. 모든 정보를 모은 후에 움직이려는 방법은 불필요한 잡동사니만 늘린다. 당장 목표로 정한 아웃풋의 틀 안에서 부족한 부분만 보완하는 방법이 효율적이다.

아웃풋을 우선하는 과학자는 실험하기 전에 먼저 논문을 작성해놓는다. 실험 결과의 숫자 부분만을 공란으로 비워두고, 머리말이나 맺음말, 예를 표하는 문장까지 쓸 수 있는 부분은 전부 써놓는다. 그리고 자신이 행한 실험에서 얻은 숫자를 나중에 채워 논문을 완성시키는 것이다.

없으므로 순서대로 사용할 수 있도록 시간을 나눠 공유한 데서 출발했다.

독서를 할 때도 마찬가지로 시간을 짧게 나누어 두뇌를 사용할 수 있다. 인간의 두뇌는 컴퓨터를 훨씬 뛰어넘는 능력을 갖추고 있으므로 컴퓨터보다 훨씬 유효한 타임 셰어링이 가능하다.

지적 생산을 위해 우선 확인해야 할 과정이 있다. 아웃풋의 목표와 소요 시간이다. 무엇을 언제까지 달성하고자 하는지 구체적이고 확실하게 정해야 한다. 그러기 위해 인풋 과정에 필요한 독서 방식을 결정하고 읽을 준비에 들어간다.

여기에서 중요한 점은 달성하려는 아웃풋을 먼저 그려놓아야 한다는 것이다. "우선 목표가 있으라."다. 아웃풋의 양과 마감 시간을 계획한 다음 가능한 범위 안에서 독서에 들이는 시간을 산출한다. 구체적으로는 하루에 몇 시간을 독서에 할당할 수 있는지, 그러기 위해서는 한 시간에 몇 페이지를 읽으면 되는지 견적을 세운다. 이것이 '나눗셈법'이다.

대학교 입시를 치를 때 이와 비슷한 경험을 한다. 입시일로부터 남은 날짜를 센 다음 문제집을 하루에 몇 페이지씩 풀면 되는지 계산해보는 일 말이다. 이때 시간이 부족하다면 문제집에 실린 모든 문제에 도전하지 않고 한 문제씩 건너뛰면서 마지막까지 푸는 방법이 최선이다. 두 문제씩 건너뛰어도 좋다.

문제를 모조리 풀려고 욕심을 부리다가 문제집 뒷부분이 3분의 1 정도 남는 사태가 발생할 수 있다. 또는 하루에 풀어야 할 문제 수를 너무 많이 잡았다가 사흘 만에 좌절해버릴지도 모른다. 이런 결과를 초래하는 방법들은 모두 최종 목표를 달성하지 못한다는 점에서 유효한 전략이 아니다. 무리하지 않는 선에서 고지까지 도달할 수 있도록 여유를 갖고 페이지 수를 나누는 게 중요하다. 다소 빈틈이 생겨도 좋으니 마지막까지 갈 수 있는 시스템을 구축해놓자. 이게 바로 이과식 최종 목표 시간 설정법이다.

이를 책 읽기에 대입해보자. 먼저 읽어야 할 전체 페이지 수를 확인해 세세한 항목까지 적어본다. 그런 다음에 그 책의 목차만 읽는 것으로 끝낼지, 서문만 읽고 끝낼지, 소제목만 읽을지 정한다. 또 소제목으로 구분된 단락을 한 곳씩 건너뛰어 읽을지, 세 곳 뛰어넘기며 읽을지 구체적인 생략 방법까지 생각한다.

시간을 나누었다면 정해놓은 페이지를 읽는 데 집중한다. 다른 일을 일체 끼워 넣지 말고 전화도 받지 않는다. 누군가 찾아와도 만나지 않는다. 냉정하게 여겨질지 모르지만 모처럼 활성화하기 시작한 뇌의 활동을 멈추면 안 된다.

위의 과정을 보면 알 수 있듯 가장 먼저 할 일은 주어진 시간을 쪼개는 작업이다. 사람은 한 번에 한 가지 일밖에 하지 못한다. 그래서 나도 시간 관리법의 일환으로 해야 할 일에 철저하게 집중하는 편이다. 이 작업은 처음에 엄격하게 시간을 지키면 나중에는 큰 어려움 없이 해낼 수 있다.

여기에서 몇 가지 쓸모 있는 팁을 알려주겠다.

첫째, 일단 정한 틀은 어기지 않는다. 변수가 생겨도 시스템은 그대로 유지한 채 작은 것을 이리저리 조정해가면서 목표까지 도달한다. 눈앞에 놓인 대학 입시 문제집을 예로 든다면, 선택한 문제집이 너무 두꺼워서 목표까지 도달하지 못할 것 같아도 문제집을 바꾸지 않는다. 대신 문제를 건너뛰면서 끝까지 풀어 목적을 달성하는 것이다. 생방송이나 라이브 콘서트를 생각해보면 된다. 다소 실패 하더라도 도중에 멈추어버리는 일은 용납되지 않는다. 어떻게든 자연스럽게 얼버무리면서 끝날 때까지 시간을 끌어야 한다. 독서도 마찬가지다. 어찌 되었든 마지막까지 완료시키는 게 가장 좋다.

둘째, 앞서 말한 자연스러운 얼버무림에 관한 기술이다. 특정 장이나 단락을 읽다가 내용이 머릿속에 들어오지 않는다면 더 얽매이지 않는다. 편하게 읽을 수 있는 부분부터 읽어나가자. 그렇게라도 독서가 이어진다면 정신적 부담도 줄어들 것이다.

지그소 퍼즐을 생각해보자. 가장자리부터 순서대로 칸을 메워가는 사람은 없다. 누구나 피스가 잘 맞아 떨어지는 부분부터 채워가지 않을까. 과정이 어떻든 퍼즐을 전부 맞추면 그만이며 어디에서부터 시작해도 상관없다. 이와 마찬가지로 책도 어느 장부터 읽기 시작하건 상관없다(1장의 '책을 독파하는 것은 무조건 대단할까' 내용 참조).

셋째, 책을 읽기 시작하면 쉬는 시간 전까지는 단숨에 읽어 버려야 한다. 특정 단락을 읽기 시작했다면 그 단락이 끝날 때까지 모르는 부분이 나와도 죽죽 읽어나간다. 뭔가 만족스럽지 않아도 책에서 눈을 떼지 않고 읽기를 끝내는 것이 중요하다.

이상이 효과적인 시간 관리 요령이다.

신문 읽기는 10분이면 충분하다

이제부터는 정보를 수집하는 방법을 구체적으로 설명하겠다. 우선 신문과 잡지를 예로 들어보자.

사회생활을 하려면 세상이 돌아가는 기본 상식은 알고 있어야 하는데 이때 신문이 어느 정도 효력을 발휘한다. 요즘은 인터넷에서 주요 뉴스만 훑어보는 사람이 늘었지만 인터넷 정보에만 의지하는 것은 조금 생각해보아야 할 문제다.

확실히 인터넷 기사는 따끈따끈한 내용을 실시간으로 확인할 수 있는 편리한 도구다. 내 전문 분야를 예로 들면, 화산이 분출하거나 지진이 발생하면 인터넷 뉴스는 30분마다 정보를 갱신한다. 나름대로 대단히 귀중한 정보이므로 나 역시 긴급한 상황에는 인터넷 뉴스에 항시 눈을 번뜩인다.

그러나 인터넷 정보는 하루에 한 번만 확인하면 충분하다. 기본적으로 인터넷 뉴스는 배경이나 이유 설명이 생략되기 때문에 내용을 깊게 알기 어렵다는 한계가 있다. 텔레비전에서 흘러나오는 뉴스도 주제 하나를 다루는 시간이 짧아 시청자의 시선을 끄는 영상만 보여주려 한다. 시청자 입장에서 텔레비전은 정보를 적극적으로 얻기 쉬운 미디어이므로 필요 없는 정보까지 무턱대고 받아들여 흡수하게 된다는 단점도 존재한다.

그렇다고 신문을 구석구석 유념해서 읽어야 하는 것은 아니다. 신문 하루분의 볼륨을 측정할 때 '책 한 권 분량의 정보가 실려 있다.'라고 표현하기도 한다. 종종 "그러니 신문을 읽자."라고 하지만 나는 오히려 이런 제안을 하고 싶다. '신문을 구석구석까지 정독할 여유가 있다면 책 한 권을 읽는 것이 유익하다.'

나는 한 면 정도 분량, 시간은 하루 10분이면 족하다. 기업 사장이나 임원 중에는 매일 다섯 종류의 일간지를 본다는 사람이 있다. 사업상 필요하기 때문일 것이다. 그러나 신문 한 부만 읽어도 세상 돌아가는 흐름은 대충 감을 잡을 수 있다. 심지어 기사 제목과 도입부에 적힌 다섯 줄로도 충분하다.

우선 1면 기사를 대충 훑는다. 어떤 신문이건 1면에는 주요 기사의 인덱스가 붙어 있다. 그것을 보면 전날 어떤 일이 일어났는지 가닥이 잡힌다. 여기까지 약 5분을 소요한다. 다음으로 인덱스에서 눈에 들어왔던 기사를 찾아 읽는다. 전문 분야나 관심 있는 사건에 관한 기사가 특집으로 실렸을 때는 좀 더 시간을 들여 읽는다. 그러나 기본적으로 10분 내외로 충분하다.

일독을 권하고 싶은 지면은 신문의 신간 도서 광고란이다. 신문에 광고를 게재하기 위해서는 그에 상응하는 광고 비용이 든다. 따라서 출판사는 팔리는 책이나 꼭 팔고 싶은 책을 선별해 홍보하게 마련이다. 도서 광고를 보고 있으면 지금 세상이 무엇에 흥미를 두고 있는지 알 수 있다. 여유가 있다면 기사를 읽는 10분 외에 별도로 시간을 내 살펴보기를 권한다.

한편《마이니치신문》의 '천성인어(天声人語)'와 같이 1면에 실리는 칼럼은 처음 다섯 줄만 읽는다. 그 정도만 읽으면 무슨 내용이 적혀 있는지 짐작이 간다. 흥미롭다면 마지막까지 읽고 그렇지 않다면 멈춘다.

사설도 도입부만 읽으면 충분하다. 해당 신문사가 그날 사설 주제로 무엇을 선택했는지 아는 것이 중요하므로 내용은 읽지 않아도 상관없다. 게다가 사설은 첫 부분에 결론을 먼저 쓰기 때문에 도입부만 읽어도 된다. 예를 들면 사설에는 '국가가 ○○해야 한다.'와 같은 문제 제기가 빈번하게 들어간다. 그 내용을 보면 '○○ 신문사에서는 국가에서 ○○해야 한다고 생각하는구나.' 하고 해당 신문사의 노선을 파악할 수 있다. 전문을 다 읽어도 얻을 수 있는 결론은 똑같다. 그렇다면 열 글자의 도입부를 읽는 것으로 끝내고 차라리 관련 단행본을 손에 들고 읽는 게 자신에게 정말 필요한 정보를 더욱 밀도 높게 얻을 수 있는 방법이다. 늘 자신에게 주어진 시간을 의식하면서 그 시간을 정보 수집에 이용하기 바란다.

서평만 읽어도 좋다

잡지는 신문과 쌍벽을 이루며 거론되는 정보 전달 도구지만 간행되는 종류가 엄청나게 많아서 이것저것 다 읽으려 하다가는 정보를 소화하기 버거워진다. 그래서 종합 월간지 혹은 자신의 전문 분야나 관심사에 관한 잡지만으로 한정해서 읽기를 권한다. 세계 정세를 파악하기에는 월간지나 격주 간행물이 최적이다.

매우 유감스럽게도 최근에는 월간지를 읽는 대학생이 급격히 줄었다. 그러나 종합 월간지에 실린 긴 글에는 필자의 노력이 투입되어 있어 자연스럽게 질 높은 정보를 얻을 수 있다. 간혹 나중에 단행본으로 출간될지도 모를 역작이 숨어 있기도 하다.

서평은 대체로 잡지 권말에 게재되어 있으므로 이 부분을 읽어보면 책을 선택할 때 참고가 된다. 일간지에도 서평 코너가 있는데, 많은 서평이 책의 내용을 적확하게 전달하고 있을 뿐 아니라 현대 사회의 문제점을 예리하게 지적하고 있으므로 서평만 읽어도 도움이 된다.

세상에는 양서를 퍼트리는 데 전력을 다해 매진하는 열의에 찬 저자가 있듯이 오랜 기간 끈기 있게 훌륭한 서평을 기고하는 서평가도 적지 않게 존재한다. '이 사람이 추천하는 책이라면 틀림없다.'라고 신뢰할 수 있는 서평가를 만나면 더욱더 좋을 것이다.

서평의 완성도를 판단할 수 있으려면 많이 읽어보는 수밖에 없다. 신문이나 잡지에 실린 서평을 눈으로 대충 훑는 작업부터 시작하면 좋다. 독서 감상을 올리는 웹사이트나 커뮤니티도 많다.

자신의 관심이나 취향에 꼭 맞는 책을 소개하는 서평란이나 서평가를 발견하면 굉장히 설렌다. 서평의 세계와 책의 세계는 서로 연결되어 있다. 서평의 완성도를 정확하게 판단할 수 있다면 책을 보는 안목도 높아질 것이다. 책을 고를 때 신뢰할 수 있는 방법을 스스로 발견하는 일은 독서력을 기르기 위해서도 중요하다.

경로 이탈하지 않기

정보를 수집할 때는 다른 화젯거리를 읽는 등 옆길로 새지 않도록 주의하자. 목적 수행에 최대한 집중해야 한다. 신문이나 잡지를 읽을 때도 마찬가지다. 자신의 테마에 필요한 부분만 찾아 읽으면서 그렇지 않은 부분은 건너뛴다.

지금 무엇을 수집해야 하는지 늘 의식하는 게 매우 중요하다. 저자가 현란하게 늘어놓은 말장난에 넘어가 다른 곳으로 시선을 돌리는 바람에 머릿속 메모리(용량)가 바닥나는 경우가 왕왕 있기 때문이다. 재미있다고 모조리 읽어버리면 시간만 빼앗기는 게 아니다. 나와 상관없는 정보는 생각 저장소라 할 수 있는 뇌 속 메모리를 부식시키는 독으로 작용한다.

신문은 도입부만 읽을 것, 스포츠 기사나 만화까지 읽지 말

것, 잡지에서는 목차를 보고 어디를 읽을지 판단해 처음부터 펼칠 부분을 정할 것. 자신이 얻고자 하는 정보에 일치하는 항목은 내용을 모두 읽어도 좋다. 그 외 정보가 눈에 들어온다면 의식적으로 다른 통로로 보내버리자. 이렇게 '두뇌 시스템'을 만들어두어 시간과 뇌 속 메모리를 갉아 먹지 않고 끝낼 수 있는 방법을 찾는 게 중요하다.

신문이나 잡지를 구석구석까지 읽는 것은 효율적인 아웃풋 우선주의와 가장 먼 행위다. 오히려 이것은 시간 죽이기에 어울리는 행동이다. 인터넷도 똑같다. 인터넷 서핑을 하려면 흥미 있는 테마와 관련된 것만 찾는다. 인터넷은 언제든지 옆길로 새기 쉬워서 위험하다.

정보를 수집할 때 별책부록 느낌으로 재미있는 정보를 얻는 경우가 있다. 신문을 보면서 찾고자 하는 정보와 관련된 기사를 읽다가, 직접적으로 관련된 주제는 아니지만 흥미를 유발하는 다른 기사가 바로 옆면에 실려 있는 경우가 그렇다.

이런 경우에 대비해 룰을 미리 정해둔다. 덤으로 얻는 정보에는 일단 깊이 관여하지 않거나, 신문이나 잡지라면 바로 오려내 보관하고 인터넷 기사라면 '즐겨찾기'에 링크를 저장해두는 식으로 말이다.

잡지에서 화산 분화에 관한 기사를 읽다가 바로 옆에 쓰나미 옆길로 새지 않도록 주의하자. 목적 수행에 최대한 집중해야 한다. 자신의 테마에 필요한 부분만 찾아 읽으면서 그렇지 않은 부분은 건너뛴다. 지금 무엇을 수집해야 하는지 늘 의식하는 게 매우 중요하다.

신문은 도입부만 읽을 것, 스포츠 기사나 만화까지 읽지 말것, 잡지에서는 목차를 보고 어디를 읽을지 판단해 처음부터 펼칠 부분을 정할 것. 자신이 얻고자 하는 정보에 일치하는 항목만 내용을 모두 읽어도 좋다. 그 외 정보가 눈에 들어온다면 의식적으로 다른 통로로 보내버리자. 시간과 뇌 속 메모리를 갉아 먹지 않고 끝낼 수 있는 방법을 찾는 게 중요하다.

에 관한 매우 흥미로운 기사가 실린 것을 발견했다고 하자. 그때는 쓰나미 기사에 관한 본문은 읽지 않고 잡지명과 발행일, 페이지만 메모한 뒤 곧장 오려낸다. 이것을 쓰나미 관련 클리어 파일에 넣어 보관한다. 나중에 쓰나미에 관한 기사가 어느 정도 모이면 그때부터 읽기 시작한다. 이것도 미뤄두기를 적용한 예다. 어쩌면 쓰나미에 관해 무언가 조사할 일이 생길 때까지 이 클리어 파일에 모아둔 내용물을 아예 읽지 않을지도 모른다. 이 정리법은 7장에서 다시 상세하게 설명하기로 하겠다.

강연회나 학회 등에서 다른 사람의 말을 들을 때에도 당장 필요한 이야기에만 집중하자. 모든 이야기를 들으려고 하면 그것만으로도 뇌에 과부하가 걸려 머리가 하얘지는 쓰라린 경험을 하게 될 가능성이 높다. 그렇지만 필요한 이야기에만 집중하는 일은 대단히 어렵다.

나 역시 시간이 여유로울 때 당시 매달려 연구 중인 테마와 다른 이야기를 들으러 갔다가 머리가 터질 것 같은 위기를 몇 번이나 겪었다. 정말 필요한 이야기만 듣고, 벌레 먹은 듯 시간이 중간 중간 떠버려도 그 상태를 그대로 유지해야 한다.

어떤 일이건 현재 목적에서 벗어난 일은 절대로 깊이 파고들지 않는 것, 그것이 핵심이다. 불필요한 일에 시간과 에너지를 허비하지 않도록 행동을 제어하는 것이 철칙이다. 책을 마지막까지 읽는다고 해서, 또 영화를 마지막까지 감상한다고 해서 훌륭하다며 상 주는 사람은 없다. 무엇이건 필요한 부분만 취하는 것이 이과식 방법론이다. 우리 집에는 내가 어딘가에 인용한 수많은 책이나 비디오가 있는데 마지막까지 독파(혹은 시청)하지 않은 것이 대부분이다.

수집만으로도 지적 아웃풋은 충분하다. 그렇게 하지 않으면 남의 책을 읽느라 1년이 눈 깜짝할 사이에 지나버릴지도 모른다. 완벽주의는 정보를 취사선택하는 데 가장 큰 적이다.

읽지 않기의 기술

아웃풋을 우선하는 기술은 응용 범위가 훨씬 넓다. 아웃풋은 질 낮은 아웃풋과 질 높은 아웃풋으로 나뉜다. 질 낮은 아웃풋은 타인이 이미 생각한 것과 별반 다르지 않은, 독창성이 결여된 아웃풋이며 질 높은 아웃풋은 독창성이 높은 아웃풋이다.

질 높은 아웃풋을 추구하려면 과거에 선조들이 남긴 지식에 그다지 영향 받지 않아야 한다. 그러면 독서 방식 자체도 바뀐다. 역설적으로 들릴지 모르지만, 질 높은 아웃풋을 목적으로 한다면 가능한 한 책을 읽지 않는 게 좋은 때도 있다.

'가능한 한 책을 읽지 않기'란 엄밀히 따지면 책에 읽혀서는 안 된다는 말과 같다. 나는 독서가와 비독서가를 구분하는 경계가 여기에 있다고 생각한다. 책을 들고 있으나 끝까지 읽지 않아도 청량한 표정을 지을 수 있는 쪽이 독서가, 완독하지 않으면 만족하지 못하기 때문에 독서를 하다 곧잘 지치는 사람이 비독서가다.

책을 마지막까지 읽지 않으면 안 된다는 생각은 일종의 강박관념이다. 손에 든 책을 끝까지 읽으려는 것은 비현실적인 시도다. 어쩌면 궁극적으로 습득해야 할 기술은 무엇을 어떻게 읽을까가 아니라 어떻게 하면 읽지 않을 수 있는가다.

여기에서 19세기 독일의 철학자 쇼펜하우어의 명저 『쇼펜하우어 문장론』을 언급하려 한다.

철학자는 책 읽기를 업으로 하는 사람인데도 쇼펜하우어는 독서라는 행위 자체에 회의적인 시각을 가졌다. 그는 "독서는 자기 머리가 아니라 다른 사람의 머리로 생각하는 일"이므로 지나치면 안 된다고 주장한다. 생활습관병이 부지불식간에 몸을 갉아 먹듯이 책을 너무 읽으면 사고 능력이 떨어진다는 것이다. 따라서 무엇보다 무익한 책을 읽지 않을 수 있는 요령이 필요하다고 주장했다. 반면 읽을 가치가 있는 책에 관해서는 명쾌하게 해석한다.

"정신을 위한 청량제로 그리스·로마 시대의 고전을 읽는 것보다 더 좋은 경험은 없다. 예를 들어 하루에 단 30분이라도 고전의 대가들이 남긴 작품을 읽는다면 얼마 안 가 정신의 진보를 느끼게 될 것이다. 반시간이나마 그들이 남긴 예술을 접하게 되면 인생은 더욱 풍요로워지며, 생활에 지친 감정도 날카롭게 일어선다."

실제로 시간의 체에 걸러지고도 살아남은 고전을 읽다 보면 좋은 책을 가릴 줄 알게 된다. 나는 학생이나 직장인에게 고전을 추천하지만 그것은 범람하는 신간 사이에서 양서를 추려내는 심미안을 기르길 바라는 마음에서다.

좋은 책을 만나기 위해 사람들은 다양한 방법을 시도한다. 도서관을 방문해 스스로 찾아보거나 책을 좋아하는 친구 혹은 스승에게 추천받기도 하며 신문이나 잡지에 실린 서평을 참고하기도 하고 인터넷으로 검색해 반향을 확인하는 등 방법은 가지각색이다. 그리고 그 틈에서 고전의 파급력은 시대를 초월한다.

독서와 사색의 조화

쇼펜하우어가 남긴 독서와 사색의 균형에 관한 명언 역시 시사하는 바가 크다. 1만 권의 책을 읽고 방대한 지식을 머릿속에 집어넣어도 그 지식이 머릿속에서 정리가 되지 않으면 도움이 되지 않는다. 머릿속을 정리하는 작업이 바로 사색이다. 인포메이션에서 인텔리전스를 창출하는 지적 활동의 핵심이 여기에 있다.

독서는 얼핏 좋은 점들로만 이루어진 듯 보이는 행위지만 사실 부정적인 점도 존재한다. 저자의 사상이 독자의 머리를 잠식하면 사고의 탄력성을 빼앗기기도 한다. 독서에서도 '지나침은 안 한 것만 못하다.'라는 공식이 성립하는 것이다. 그러므로 어디를 읽을지가 아니라 어디를 읽지 '않을지' 고민하는 독서법이 필요하다.

쇼펜하우어는 책벌레가 독서에 빠지는 행위를 경고한다. 나는 교토대 강의 시간에 'Q&A 코너'를 두고 있는데, 이를 통해 독서가 주특기인 문과계 학생들 사이에서도 '책한테 읽혀버린' 상황에 처한 이들이 적지 않음을 알았다. 책을 좋아하는 청춘일수록 저자에게 쉽게 감화된다.

그렇다고 단순히 독서를 멈추어버리는 게 과연 옳은가. 아무것도 들어 있지 않은 머리로 사색한다고 한들 쉽게 될 리 없다.

쇼펜하우어가 내린 결론은 이렇다.

"아무리 뛰어난 두뇌를 가졌을지라도 언제 어디서나 사색의 경지에 도달할 수 있는 것은 아니라는 점을 명심해야 한다. 따라서 흐트러진 생각으로 괴로울 때는 차라리 책을 한 권 집는 편이 낫다."

즉 독서와 사색의 균형을 지혜롭게 맞춰야 인생의 달인이 될 수 있다. 이게 바로 내가 지식의 원천은 예나 지금이나 독서에 있다고 믿는 이유다. 이번 장에서는 아웃풋 우선의 독서 기술을 소개했는데, 역설적으로 보일 수도 있는 점을 마지막에 덧붙였다. 무엇이건 조화를 생각하는 습관을 독서에도 들이기 바란다.

6장

책을 고르고 정리하는 법

6장의 포인트

적은 금액이라도 책을 매달 사보자
입문서는 세 권을 산다
책은 표지와 제목으로 선택해도 좋다
책 정리는 미학보다 용도에 맞춘다

책의 최대 특징은 투자하는 금액에 비해 얻을 수 있는 이익이 대단히 크다는 점이 아닐까. 강의를 하면서 학생들의 의견을 물어보면 "책이 비싸요."라는 대답이 의외로 많아 놀랍다. 술을 마시거나 술을 마신 후 택시비로 빠져나가는 금액에 비하면 책은 엄청나게 싸게 먹히는 소비가 아닌가.

오히려 책에 투자할 비용을 먼저 확보한 다음에 회식 자리에 나갈지 말지 검토하기를 권한다. 한 달 동안의 지출을 계획할 때 집세와 관리비에 이어 세 번째로 도서 구매비를 확보해놓는 식으로 우선순위를 두는 게 이상적이다.

매달 일정 금액을 책에 투자한다고 가정하면, 한 달에 10만 원을 쓸 경우 2만 원짜리 전문 서적을 다섯 권, 1만 5000원짜리 일반 단행본을 여섯 권, 1만 원 내외의 얇은 책은 열 권이나 살 수 있다는 계산이 나온다.

이와나미 문고나 고분샤의 개정판 고전 문고, 고단샤 학술 문고에는 평생에 걸쳐 흡수할 지혜가 그득 담겨 있다. 한 달에 10만 원은 지혜롭게 쓴다면 한 달 독서량을 충분히 채우는 투자 금액이라 생각한다. 게다가 매주 구입하다 보면 지출한 비용에 걸맞은 도서를 선별할 수 있는 혜안이 생길 것이다. 쇼핑도 할수록 안목이 는다.

액수의 많고 적음은 문제가 아니다. 중요한 것은 자기 경제 상황에 맞추어 소득 안에서 적은 금액이라도 좋으니 도서 비용 항목을 정해놓는 것이다. 한 달에 1만 원짜리 책을 매달 꾸준히 구입해도 자기만의 라이브러리가 완성된다.

책은 발견한 즉시 사야 한다. 고서점에 있는 책은 팔려버리면 언제 또 손에 들어올지 모르고 서점에 놓여 있는 신간도 잘 팔리지 않으면 언제 절판될지 알 수 없다. 조만간 사겠다며 여유를 부리다가는 두 번 다시 읽어보지 못할 가능성이 크다. 따라서 조금이라도 마음에 드는 책을 발견한다면 일단 사두는 것이 최선이다. '독서는 기회를 부른다.'는 사실을 여기에서 재차 강조하고 싶다.

또한 책은 문구의 일종이다. 사용 방법은 7장에서 자세히 밝

히겠지만, 메모하면서 자신만의 노트로 활용하기 편리하다. 아무런 눈치를 보지 않고 책을 더럽힐 수 있으려면 일단 내 것으로 해둘 필요가 있다. 도서관에서 빌려 읽을 수도 있지만 그럴 경우에는 그다지 기억에 남지 않아 학습 효과가 떨어진다.

인간에게는 기본적으로 거지 근성이 있다. 책을 직접 구입하면 본전을 뽑고 말겠다는 욕심이 발동한다. 주머니를 탈탈 털어 구입했음을 정당화하기 위해서는 책에 쓰인 내용을 읽어 지식을 얻는 방법 외에 선택지가 없다.

한편 책은 투자한 금액을 간단히 회수할 수도 있다. 책은 같은 돈을 지불했을 때 비용 대비 효율이 가장 높다. 세미나를 듣거나 관련된 전문 학원에 가지 않아도 대부분의 내용을 책으로 학습할 수 있기 때문이다. 책을 한 권 읽으면 구입한 금액을 몇 배로 회수하거나 적어도 손해는 보지 않는다.

오프라인 서점을 정기적으로 방문한다

책을 수집하는 방법을 구체적으로 소개하겠다. 최근에는 아마존과 같은 온라인 서점에서 책을 사는 독자가 많겠지만 나는 가능한 한 오프라인 서점에 발을 들여놓

책은 발견한 즉시 사야 한다. 조금이라도 마음에 드는 책을 발견한다면 일단 사라. 인간에게는 기본적으로 거지 근성이 있다. 본전을 뽑고 말겠다는 욕심이 발동한다. 소비를 정당화하기 위해서는 책에 쓰인 내용을 읽어 지식을 얻고 활용하는 것 외에 선택지가 없다.

서점에 가는 습관을 들이자. 지적 호기심을 유지하기 위해서도 좋은 방법이다. 눈치 빠른 서점들은 쏟아지는 신간 중에서도 세상 흐름에 맞추어 적확하게 책을 판별해 진열한다. 서점에 진열되는 책들을 보는 것만으로도 동향을 파악할 수 있다.

길 권한다.

오프라인 서점을 이용하면 예상 밖의 효과를 기대할 수 있다. 서점에서 적극적으로 다양한 분야의 책을 보다 보면 세상을 보는 눈이 절로 넓어진다. 작은 실천부터 시도해보자. 예를 들어 점심시간에 밖으로 식사하러 나간다면 사무실로 돌아가는 길에 서점에 들르는 일을 습관화하면 어떨까. 독서에 투자하기 위해서가 아니라 지적 호기심을 유지하기 위해서도 서점에 가는 습관을 들이는 것이 좋다.

매년 약 8만 권의 책이 세상에 나온다. 200권 이상이라는 숫자가 매일 갱신되는 것이다. 눈치 빠른 서점은 이처럼 방대한 도서 중에서 세상의 움직임에 맞추어 적확하게 책을 판별해 매대에 진열한다. 서점마다 진열되는 책들을 보는 것만으로도 국내뿐 아니라 세계의 동향까지 파악할 수 있다.

서점에는 대형 서점과 각 지역에 밀착한 소형 서점이 있다. 대형 서점은 무엇보다 신간과 전문서를 풍부하게 구비하고 있어 매력적이다. 조사하고 싶은 내용에 관한 책을 대부분 찾아서 확인할 수 있다. 신간뿐 아니라 기존에 출간된 도서의 재고도 넉넉하다. 게다가 대형 서점은 지도나 DVD도 구입할 수 있으므로 효율적으로 자료 수집하기에 최적화된 장소다. 개중에는 판매하는 책을 읽기 쉽도록 책상이나 의자를 곳곳에 마련해둔 서점도 많다. 책을 구입하기 전이어도 책에 지긋이 몰입할 수 있는 아주 바람직한 장소다.

대형 서점 안에서 자신의 무기가 되는 주제를 취급하는 공간은 특히 중요하다. 정기적으로 체크해서 늘 최신 정보를 파악해두어야 한다. 가령 마케터라면 경제경영 매대와 서가를 그냥 지나쳐선 안 된다. 또한 어떤 서점에는 각종 매체의 서평에 게재된 책만 진열해놓은 코너가 있다. 이곳을 활용한다면 어느 정도 수준이 담보된 책을 찾는 시간을 아낄 수도 있다.

한편 동네 작은 책방에도 취할 부분이 많다. 소형 서점에서는 지역 특유의 품목들을 구비하고 있다. 교토에는 교토 지도나 요리, 신사나 절의 정원 가이드북 등이 가장 눈에 띄는 자리에 진열되어 있다. 도쿄에서도 오피스 거리에 위치한 서점은 경제경영과 자기계발서에 강하고, 큰 병원 근처에는 건강과 의학 서적에 특화한 서점이 자리한다. 또 지방에 가면 그 지역에서 출간된 책을 만날 기회가 생긴다. 향토 역사에 관한 책이나 해당 지방 출신 작가의 전기 등 도쿄와 같은 도심에서는 좀처럼 발견하기 힘든 흥미로운 서적이 즐비하다. 서점이 각 지역에 밀착해 있다는 뜻이다.

규모의 크고 작음을 막론하고 집이나 학교, 회사 근처에 단골 서점을 만들어두어도 좋다. 틈나는 대로 들러 한 바퀴 돌아보도록 하자.

서점에 들어선 순간 눈에 들어오는 책, 게다가 매대에 진열된 책은 인기를 얻고 있다는 의미이므로 반드시 살펴보자. 호불호는 있겠으나 팔리고 있는 이유를 찾다 보면 일에 관한 힌트를 얻을 수도 있기 때문이다. 나는 종종 슬렁슬렁 들른 서점 입구에서 세상 돌아가는 이야기와 뉴스를 얻어 온다.

거리를 걷다 눈에 띄는 서점

마니아적인 동네 서점이나 독립 서점도 보물찾기의 성지다. 특히 교토는 개성적인 서점이 많기로 유명하다. 데라마치 거리의 산가츠쇼보, 이치조지의 게이분샤 등은 판매 랭킹이 높은 신간 서적이나 소형 서점 어디에서나 구할 수 있는 유명한 잡지를 취급하지 않는다. 대신 특정 분야의 책 중 절판이라 출판사에도 재고가 없는 책이 떡하니 놓여 있거나 다른 영업점에서는 절대로 발견하지 못할 미술서와 아동서, 철학서가 매대에 진열되어 있다. 전문 고서점으로 착각할 정도다. 이런 도서 구성이 독서 애호가들의 심리를 자극한다.

'이런 책은 나 외에 살 사람이 없지.'하고 자부심을 느낄 만한 책을 손에 넣는 것. 독서가는 이런 즐거움까지 곁들인 서점 주인의 낚시질에 보기 좋게 걸려든다. 이런 류의 서점은 한 달 후에 방문해보면 도서 배치가 싹 바뀌어 있기도 하다. 그러므로 정기적으로 드나들기만 해도 지적 호기심에 자극을 받는다.

서점마다 점원이 독특한 아이디어를 살려 작성한 POP(작은 광고판)를 읽는 것도 즐거움 중 하나다. '놀이 책방'이라는 평가를 얻으며 책뿐 아니라 과자나 잡화, 포스터 등도 취급하는 상점으로 서브컬처의 색이 짙은 이색적인 매장인 빌리지뱅가드는 유니크한 POP 작성의 최고봉이다. POP 중에는 '내가 스무 살에 큰 영향을 받은 책'과 같이 상당히 주관적인 내용을 담은 것도 있다. 고객 입장에서는 사실 아무 관심도 없는 정보이지만, 신기하게도 그런 책을 집어 들고 싶어지기도 한다. '이 책이 좋다. 누군가에게 알리지 않고는 못 배긴다.'라는 점원의 마음이 고스란히 전해지기 때문이리라.

역이나 공항 안에 있는 서점도 간과할 수 없다. 책 종류는 적지만 그런 만큼 주요 타깃을 좁혀 직장인이나 여행객을 겨냥한 책이 놓여 있다.

최근에는 역의 플랫폼에 책 자판기를 두는 독특한 시도도 보인다. 이러한 책 자판기를 통해 여성을 타깃으로 한 에세이가 만만찮은 판매고를 올리고 있나 보다. 자판기의 책 품목을 살펴보는 것만으로도 그 지역에서 일하는 여성들의 분위기를 짐작할 수 있다.

중고서점의 매력

중고서점도 정보를 찾는 공간으로 빼놓을 수 없다. 중고책은 뭐니 뭐니 해도 싸다는 점이 매력이다. 가게 한편에 있는 균일가 도서는 숨은 진주 찾기의 묘미를 선사한다. 5만 원이라 해도 팔릴 만한 책이 1000~2000원에 팔리는 경우도 있다.

중고서점에서 내가 자주 구입하는 책은 문학서 초판이다. 나쓰메 소세키, 모리 오가이, 나가이 가후 등 대문호의 초판본이 헐값에 나오기 때문이다. 이런 종류의 책은 메이지 시대의 표지나 활자 등을 담고 있어 호기심을 자극한다.

나는 지방으로 출장을 가면 그 동네를 걸어서 다닌다. 도중에 중고서점을 발견하면 최소 30분은 할애해 책을 본다. 그 지역에서만 만날 수 있는 책이 있기 때문이다. 그러다가 지방대학 교수가 내놓은 오래된 장서를 발견하기도 한다.

대도시에서는 절대로 만져보지 못할 절판본이 무방비하게 방치되어 있는 경우도 적지 않다. 도쿄나 교토에서 발견하지 못한 책이 가고시마의 중고서점에서 세 권에 한 묶음으로 팔리고 있는 광경을 직접 본 적이 있다. 날아갈 듯 기뻐하며 당장 구입했음은 말할 것도 없다. 내가 중고서점 순례를 멈추지 못하는 가장 큰 이유다.

굳이 사지 않더라도 희귀본을 바라보는 것만으로도 공부가 된다. 옛날에 만든 책은 한 권 한 권의 가치가 상대적으로 높았던 것 같다. 현대에는 엄두도 못 낼 심혈을 기울여 만든 책들이 고스란히 남아 있는 것을 보면 말이다. 주머니 사정을 고려했을 때 회식하는 횟수를 줄여서 어떻게든 조달할 수 있는 금액이라면 그런 책들을 큰맘 먹고 구입해보는 것도 나쁘지 않다. 술자리에서 자리를 채우는 일은 딱히 남는 것이 없지만 이렇듯 중고서점에서 발견해 구입한 책은 평생의 추억과 교양으로 남기 때문이다.

하지만 절판된 책을 찾아내는 데 있어 단순히 효율성을 따진다면 온라인 서점이 최고다. 나도 일을 하다가 지금은 출간되지 않는 책이 필요할 때면 온라인 서점부터 뒤진다. 조금 멋이 떨어지기는 하지만 시간을 아낄 수 있다. 물론 절판 도서뿐 아니라 신간 역시 일이나 공부를 할 때 참고문헌으로 빠르고 확실하게 입수하기 위해서는 온라인 서점을 이용하는 것이 꽤나 유효하다.

도서관 이용법

도서관에 대해서도 언급해두고 싶다. 서점과는 또 다른 매력을 가진 공간. 도서관 역시 절판된 책까지 만날 수 있는 희귀 도서의 보고다. 단 사전에 '무엇을 찾을지' 명확하게 정하고 가야 한다. 지금은 대학교 도서관이나 공립도서관에서도 OPAC(Online Public Access Catalogue, 온라인 도서 목록)을 공개하고 있으니 원하는 책을 사전에 소장하고 있는지 확인한 다음에 행선지를 정하자.

목적 없이 서가를 바라보며 거니는 것도 나쁘지 않다. 인연이 전혀 없을 것 같은 분야의 책을 손에 들고 읽다가 의외로 빠져들 때도 있다. 나에겐 아동 도서나 도자기에 관한 책 등이 그렇다. 아름다운 사진이 실린 대형 책자는 시간 가는 줄 모르고 감상한다. 대출도 가능하니 더욱 좋다.

그러므로 모처럼 도서관에 간다면 필요한 조사를 끝낸 후에 다른 서고로 발걸음을 옮겨보자. 분명 호기심이 샘솟는 책과 마주칠 테니.

5장에서 지적 생산과 지적 소비를 구분하는 게 중요하다고 했는데, 지금 서술한 '호기심을 채운다'는 말은 지적 소비의 측면도 다분히 포함하고 있다. 지적 생산과 지적 소비에 들이는 시간은 명확히 구분해야 함은 잊지 않는다.

도서관에서 자료를 찾을 때의 팁을 적어놓은 책도 있다. 『도서관을 깨부수자!』라는 책에는 '인터넷으로는 불가능한 자료 찾기의 기술과 요령'이라는 부제가 적혀 있다.

도서관에는 국회도서관과 지역의 공립도서관, 또 각종 전문

서적 도서관이나 대학교 도서관 등 다양한 곳이 있고 각각 특징이 있다. 필요한 경우에는 사서에게 조언을 구하면 찾고자 하는 정보에 더욱 쉽게 접근할 수 있다.

입문서는 세 권 산다

서점에서 책을 찾을 때 어디에 초점을 맞추면 좋을까? 무언가를 배우려 한다면 어떤 성격의 입문서를 골라야 할까? 어떤 책을 만나느냐에 따라 학습 의욕이 달라질 수 있으므로 도서 선택은 꽤 절실한 문제다.

좋은 책을 고르고 싶다면 우선 다른 사람의 지혜를 빌리자. 가장 빠른 방법은 읽고 싶은 주제에 정통한 사람에게 소개받는 것이다. 추천받은 책을 서점에 가서 찾아보고, 신문이나 잡지의 서평을 읽고 조금이라도 솔깃한 책은 집어 들어 읽어보자. 처음부터 혼자 책을 찾으려 하면 좋은 책을 만나기 어렵다. 수동적이어도 좋으니 일단은 조언에 귀를 기울이기 바란다. 물어볼 사람이 가까이에 없을 때 어떻게 하면 좋을지는 나중에 다시 설명하겠다.

다음 단계로는, 어떤 주제에 관한 책이건 입문서를 세 권 사라는 원칙을 따른다. 한 권만 읽으면 거기 담긴 내용이 편협하진 않은지 판단하기 어렵기 때문이다. 또 저자의 문장이 자신의 감각에 맞지 않아 해당 분야의 벽이 높다고 느낄 우려도 있다. 모처럼 공부해보려는 의지가 시들해지면 아깝지 않은가.

입문서를 세 권 정도 읽어보면 같은 주제를 저자마다 다른 시각으로 기술하고 있음을 알게 된다. 입문서의 저자는 해당 분야의 전문가이므로 각자 자신이 재미있다고 생각한 재료로 책을 썼을 것이고, 그 재료는 저자에 따라 다르기 때문이다. 세 권을 읽으면 개요를 골고루 파악할 수 있고 또 그중 한 권 정도는 심금을 울릴 만한 양서일 확률도 꽤 높다.

소개받은 책이건 스스로 찾아낸 책이건 세 권 중에 가장 재미있을 것 같은 책부터 읽어나가면 된다. 만일 읽다가 지루해지면 성큼성큼 건너뛰어도 좋다. 어떤 분야건 책을 여러 번 읽을수록 점차 식견이 늘어난다. 다른 견해로 쓰인 책을 찾아서 읽고 싶은 욕구도 생길 것이다. 해당 분야에 관한 지식도 쌓일 테니 자신이 무엇을 알고자 하는지 목표도 분명해진다.

책을 이것저것 읽다 보면 처음에는 내키지 않던 책이 재미있게 읽히는 경우도 있다. 이때 책을 꾸준히 읽는다는 점이 핵심이다. 책을 고르는 심미안이라는 것은 결국 읽기를 통해서만 기를 수 있다. 책도 사람과 같아서 인연이라는 게 있다. 경험이 쌓일수록 자신에게 맞는 책을 만날 확률이 높아진다.

책 읽기가 서툴다면 책의 수준을 한 단계 낮추어도 좋다. 책 내용의 수준을 낮추라는 말이 아니다. 쉬운 단어로 쓰인 책, 즉 쉬우면서도 지적인 책을 찾는 것이다. 내용의 수준을 떨어트리지 않고도 알기 쉽게 서술한 책이 세상에는 많다.

이런 책을 스스로 찾아내면 독서 자체가 즐거워진다. 나도 교양서를 집필할 기회가 주어질 때면 화산에 관해 일반 시민이 기본적으로 알면 좋은 내용이 무엇일지 나름대로 연구하고, 그러면서도 수준을 떨어트리지 않도록 노력했다.

전문가가 특히 배려해서 알기 쉽게 쓴 청소년용 책들은 '교양의 출입문'으로 중고등 학생들이 지적 기틀을 마련하는 데 적합하다. 이런 책들은 일반적인 성인 단행본 수준의 내용을 유지하면서도 중고생이 흥미를 가질 만한 방식을 취하고 있다. 생각해보면 이런 책들이야말로 가장 고차원적인 전달 방식을 구현하는 출판 형식이 아닐까 싶다.

예를 들면 『과학적 사고와 학습법』은 자연과학적인 사고법, 즉 과학의 프레임워크를 설명한 상당히 뛰어난 입문서로, 문과계 독자도 어렵지 않게 읽을 수 있다. 내가 집필한 『지구는 화산이 만들었어요』도 어려운 한자에 모두 독음을 달아놓았다. 일반 단행본은 통상적으로 한자가 처음 나올 때만 독음을 달아 어떤 주제에 관한 책이건 입문서를 세 권 사라. 세 권 정도 읽어보면 같은 주제를 저자마다 다른 시각으로 기술하고 있음을 알게 된다. 입문서의 저자는 해당 분야의 전문가이므로 각자 자신이 재미있다고 생각한 재료로 책을 쓸 것이고, 그 재료는 저자에 따라 다르다. 그러면 개요를 골고루 파악할 수 있고 그중 한 권 정도는 양서일 확률도 꽤 높다.

이때 핵심은 꾸준히 읽는다는 점이다. 책을 고르는 심미안이라는 것은 결국 읽기를 통해서만 기를 수 있다. 책도 사람과 같아서 인연이라는 게 있다. 경험을 쌓을수록 자신에게 맞는 책을 만날 확률이 높아진다.

주고 두 번째부터는 달지 않는다는 규칙이 있다. 그러나 중고등학생은 책 한 권을 하루나 이틀 만에 읽지 못한다. 시간이 어느 정도 지난 후에 후반부를 읽으려 할 때 한자를 읽지 못해 이해하기 어렵지는 않을까. 어쩌면 미래에 화산학을 공부하고자 하는 인재가 이 책을 펼칠지도 모르니 어떻게 해서든 마지막까지 읽게 해 화산에 흥미를 갖기를 바랐다. 그런 바람을 편집자에게 전하면서 조금이라도 읽기 어려울 것 같은 한자에는 매번 독음을 달아주도록 부탁했다. 이 책은 학생들을 대상으로 삼고 다양한 각도로 연구해 만들었지만, 성인이 읽어도 도움이 된다. 실제로 청소년용 도서를 오히려 일반 성인이 읽는다는 통계 데이터도 있다. 문과 사람은 청소년용 이과 도서를, 또 이과 사람은 청소년용 문과 도서를 입문서 세 권 중 한 권으로 선택해보자.

한편 과학 분야에서 중학교나 고등학교 교과서 역시 초심자가 공부하기에 제격이다. 최근에는 고등학교 교과서를 단행본으로 재구성한 책이 많이 나와 있다. 또는 교과서와 별도로 참고서 용도로 활용하는 자료집을 읽어도 좋다. 문장과 도판이 적절하게 섞여 있어 입문서로 읽기에 안성맞춤이다. 실제로 고등학생용 부교재로 따로 구성된 책도 있는데, 내용이 훌륭한 동시에 가격이 싸다.

과학 분야에서 중학교나 고등학교 교과서는 초심자가 공부하기에 제격이다. 학창 시절에 한 번 배운 적 있기 때문에 충분히 스스로 읽고 이해할 수 있다. 최근에는 고등학교 교과서를 단행본으로 재구성한 책이 많이 나와 있다. 교과서와 별도로 참고서로 활용하는 자료집을 읽어도 좋다. 문장과 도판이 적절하게 섞여 있어 입문서로 읽기에 안성맞춤인 데다, 내용이 질적으로 훌륭하고 가격이 싸다는 점이 특징이다. 단, 완전 초심자용이라기보다 재학습용으로 바람직하다.

2장에서 독자들이 알지 못하는 내용이 적혀 있는 교과서는 선생님의 지도하에 읽어야 하며 독학하기에는 적절하지 못하다고 설명했다. 그러나 중학교나 고등학교에서 한 번 배운 적이 있는 교과서라면 충분히 스스로 읽고 이해할 수 있을 것이다. 그런 의미에서 교과서는 완전 초심자용이라기보다 재학습용으로 바람직하다.

입문서를 효과적으로 선택하려면

그렇다면 좀 더 효과적인 입문서 선택법은 무엇일까? 하나의 주제 안에서 책을 찾는다고 해도 비슷한 도서가 너무 많다는 게 현실적인 문제다. 이때 첫눈에 쏙 들어오는 요소는 표지 디자인이나 제목, 띠지 문구 등일 것이다. 재미있는 책은 신기하게도 집어 들어 펼쳐보고 싶도록 만들어져 나온다.

책의 제목이나 광고 문구에도 만든 이의 '부디 읽어주기를' 바라는 간절함이 담겨 있다. 현란한 광고 문구에 낚여 책에 저절로 손이 간 경험이 있으리라. 이때 선택이 고민된다면 빨리 읽을 수 있을 것 같은 책, 그리고 끝까지 읽을 수 있을 것 같은 책을 우선하면 된다. 페이지 수가 적은 책부터 골라도 상관없다. 비주얼에 중심을 두고 편집된 책부터 읽는 것도 좋은 전략이다. 가령 제목에 '만화로 보는', '하룻밤에 읽는', '아틀라스(지도)', '간추려 보는', '그림으로 읽는' 등의 수식어가 붙어 있는 책이라면 초심자라도 알기 쉽도록 고민해서 편집했다고 이해하면 된다.

사회인에게 필요할 것 같은 분야를 망라해 시리즈로 묶어 낸 출판사도 있다. '14세를 위한 ○○'와 같은 문구가 쓰인 책도 출간되는데, 사실상 14세가 읽을 수 있는 책이라기보다 그 주제를 철저하게 알기 쉽도록 쓴 성인용 도서다. 이렇듯 마음에 드는 도서 시리즈를 알아두면 다음에 조사하고 싶은 분야의 책을 찾고자 할 때 도움이 된다. 또 일반적으로 두꺼운 양장책보다는 무선으로 제본한(페이퍼백) 얇은 책부터 고르면 더 간편하게 읽을 수 있다.

저자 프로필도 중요한 입문서 판단 요소다. '○○의 일인자로 절대적인 인기를 자랑하는' 식의 홍보 문구는 실제로 검증하기 어렵다. 그러나 표지 날개의 저자 소개글에는 사실만 적혀 있으므로 자세하게 읽어보면 경력을 대략 파악할 수 있다.

또 같은 분야의 책을 여러 권 출판한 저자라면 출판사에서 인정했다고 짐작할 수 있다. 이런 저자는 해당 분야에 관한 글쓰기에 익숙하기 때문에 내용을 알기 쉽게 풀어쓰는 경우가 많다.

책에는 발행일 등을 명시한 판권면이 마지막에 붙어 있다. 그곳을 보면 그 책이 얼마나 팔렸는지도 가늠할 수 있다. 판을 거듭한 책을 먼저 고르면 된다. 판을 거듭했다는 말은 최초에 인쇄한 책이 모두 팔려서 2쇄, 3쇄가 이어졌음을 뜻한다. 쇄를 거듭한 판권은 해당 책이 독자들에게 안정적인 지지를 얻고 있다는 증거이기도 하다.

여기까지 확인했다면 요점을 꽤 추렸을 것이다. 마지막으로는 문장이 전하는 느낌이 자신과 맞는지 확인하면 된다.

레퍼런스 도서 이용법

기초 지식을 익히려 할 때 필요한 입문서가 목록으로 정리되어 있으면 편리하다. 실제로 그런 책도 많이 나와 있다. 레퍼런스 도서라 부르기도 한다. 여기에는 철학이나 수학, 역사 등 장르별로 각 분야의 전문가가 추천하는 책의 리스트와 해설이 실려 있다. 이런 책을 가이드로 활용해도 좋다.

레퍼런스 책이 많이 나와 있기는 하지만 그중에 몇 권만 읽으며 비교해보면 어느 책에서건 공통으로 추천하고 있는 책을 추려낼 수 있다. 소위 스테디셀러라 불리는 책으로, 이렇듯 많은 독자로부터 평판을 얻고 있는 책은 한 번쯤 읽어두는 것이 좋다.

물론 대중이 좋게 평가하는 책이 자신에게는 맞지 않는 경우도 있으므로 세상의 평판에 좌우될 필요는 없다. 그러나 스테디셀러가 되기까지는 나름대로 이유가 있었을 테니 조금 들여다본다고 손해 볼 일은 없을 것이다.

나는 치쿠마 신서에서 나온 『유용한 참고도서 150선』을 한동안 애용했다. 이 책은 사전, 연감, 백서, 교과서 등의 참고도서를 소개하고 있다. 말하자면 참고도서의 참고도서라 할 수 있다. 문과와 이과를 아우르며 참고도서를 폭넓게 다룬다.

다음으로 특정 분야의 주제를 망라해 해설하는 책이 있다. 목차나 색인이 충실하고 두꺼운 책들이다. 이런 책은 백과사전처럼 찾으면서 활용한다. 내 전공인 화산학을 예로 들자면, 한스 울리히 시민케가 지은 『개정판 화산학』, 요시다 다케요시의 『화산학』, 시모즈루 다이스케의 『화산 백과 제2판』, 도쿄대 지진연구소에서 감수한 『지진, 쓰나미와 화산 사전』 등이 이런 책에 해당한다.

이과식 책 정리

이제 모아놓은 책들을 어떻게 정리할지 생각해보자. 책은 지적 생산을 위한 인풋을 담당하는 중요한 수단이다. 무언가 완벽하게 정리된 내용을 알고자 할 때 도서가 일순위에 해당하는 정보 인식 수단임은 예나 지금이나 변함없다.

그러나 지적 생산을 위해 책을 읽어본 사람이라면 누구나 공감하겠지만 책은 무한대로 늘어나는 존재다. 책장에 닥치는 대로 꽂아놓기만 하면 제대로 쓰이지도 못하고 사장되는 책만 늘어날 뿐이다.

책을 묵히지 않고 활용할 수 있는 간단한 방법이 있다. 주제별로 정리하는 것이다. 크기에 상관없이 내용이 비슷하면 함께 꽂아둔다. 책은 열을 맞춰 보기 좋게 장식하는 게 아니다. 제 기능을 발휘할 수 있어야 한다. 나는 오페라 책 옆에 원작의 번역본, 원작 문고본, 오페라 CD, DVD, 비디오테이프, 팸플릿, 포스터 수집 파일을 함께 둔다. 이렇게 하면 베르디의 〈춘희〉 하나를 집어 들면 알렉상드르 뒤마의 원작 소설, 『명작 오페라 북스』 시리즈의 대역, 해설서인 『스탠더드 오페라 감상북 이탈리아』, 관련 CD와 DVD 등 〈춘희〉와 연관 있는 모든 자료를 한

눈에 파악할 수 있다.

서적을 깔끔하게 보존만 하느냐, 마음껏 이용하느냐로 책에 대한 태도는 완전히 달라진다. 책집이 있는 책은 정갈하게 보이고 싶어서 등이 보이도록 진열하는 사람이 많지만 나는 그렇게 하지 않는다. 속에 든 책을 그대로 꺼내 볼 수 있도록 진열한다. 이 방법은 대사전 등 두꺼운 책을 꺼내 볼 때 아주 편리하다. 사용할 때는 집을 책장에 남겨두고 책만 꺼내면 되니 말이다. 이렇게 하면 사전을 여러 권 꺼냈다가 제자리에 집어넣을 때도 원래 자리를 파악하기 쉽다. 책을 손쉽게 돌려놓을 수 있는 시스템을 마련하는 것이다. 책이건 사전이건 소유만 해서는 안 된다. 예쁘게 진열해놓기만 하고 꺼내기 불편하면 책을 갖고 있는 의미가 없다. 효율을 중시해 배치하는 것이야말로 이과식 환경 정비의 요령이다.

자료가 넘쳐났을 때 공간을 확보하기 위한 책장 활용법을 구체적으로 알아보자. 이때 두 가지 포인트는, 모든 물건을 한눈에 보면서 작업할 수 있어야 하는 것과 자료나 기기가 이동 가능하도록 해야 한다는 점이다.

자료가 넘치지 않도록 하기 위해서는 버퍼 확보가 중요하다. 버퍼(buffer)란 충격이나 고통을 완화하는 장치를 의미하는데, 기차 선로 등에서 충돌 사고가 발생하면 충격을 경감시킬 수 있는 완충장치를 가리키는 용어다.

책 보관에 있어서도 여러 자료를 정리하거나 새로운 발상을 끌어내기 위해 버퍼가 필요하다. 지적 생산 활동을 할 때 재료와 정보의 재배치에서 일이 시작된다고 해도 과언이 아니기 때문이다. 뭔가의 위치를 뒤바꾼 후에도 전체 질서가 무너져서는 안 된다. 그러니 처음부터 자료나 기기가 자유롭게 이동 가능한 시스템을 만들어두면 얼마나 편리하겠는가.

예를 들어 상자 안에 사물을 꾸역꾸역 채워 넣으면 나중에 사물을 꺼내기 힘들다. 15칸 퍼즐 게임을 떠올려보자. 빈자리를 한 곳 만들어놓은 정사각형의 상자 안에 무작위로 흩어져 있는 열다섯 개의 숫자판을 이동해 1부터 15까지 순서대로 재배열하는 게임이다. 빈 곳이 딱 한 칸 있으므로 숫자판을 하나씩만 옮길 수 있다. 만일 두 곳 비어 있다면 더욱 옮기기 쉬울 것이다. 게임으로서는 재미가 떨어지겠지만, 이동 효율만 따진다면 빈칸이 많을수록 유리하다. 이 원리를 지적 생산에 적용하면 생산 속도가 월등히 빨라진다.

마찬가지로 책장에도 버퍼라는 빈 공간이 필요하다. 억지로 끼워 넣는다면 다음에 같은 저자나 주제의 책이 늘었을 때 가까이 넣을 공간이 없다. 애초에 이런 상황을 염두에 두고 책장을 정리하면 효율적으로 책을 활용하는 토대를 마련할 수 있다.

아웃풋을 우선하기 위한 도서 보관 방법을 제시했지만 반드시 이렇게 정리해야 한다는 절대적인 규칙이란 건 없다. 지금 자신의 목적에 맞는 정리 방법을 발견하면 된다.

7장

책을 문구처럼 써라

7장의 포인트

책을 깨끗하게 읽지 않는다
나만의 상호 참조를 만들어 정보를 연결한다
단순 작업과 생각하는 시간을 분리한다
필기는 지적 생산의 도구여야 한다

책을 온전히 활용하기 위해서는 요령이 필요하다. 앞에서도 언급했지만 책은 문구다. 숭고한 물건도 아니고 고이 간직할 귀중품도 아니며 그렇다고 감상만 하는 미술 작품도 아니다. 책을 우러르며 받들어 모시는 건 가치를 충분히 살리지 못하는 행위다. 책은 두뇌 활동에 도움을 주는 문구일 뿐이다.

책의 최대 이점은 필요한 곳을 당장 찾아볼 수 있다는 점과 메모건 낙서건 적어 넣을 수 있는 공간이 있다는 점이다. 문득 떠오른 생각이나 감상을 적거나, 인용하고 싶은 곳에 밑줄을 그을 수 있다는 말이다. 나는 종이와 연필이 아니라 책과 연필을 활용해 사고한다. 그래서 내 책은 금세 지저분해진다. 즉 책은 생각하기 위한 문구이므로 더럽혀가면서 사용하는 게 적절하다.

페이지의 모서리를 접어놓아도 좋다. 접힌 곳을 펼치면 감명 받았던 곳을 금방 확인할 수 있다. 접어놓는 페이지가 많은 책은 그만큼 자신과 잘 맞는 책이다. 그런 책은 책장에 꽂아두어도 어느 위치에 있는지 금방 찾아낸다.

페이지 접기 외에 포스트잇도 가득 붙여보자. 자기 나름의 편리한 색인을 만들어두는 작업이다. 이렇게 하면 심취해 읽은 책은 그 부피가 점점 늘어난다.

내 책장에 보관된 책들은 표지를 넘기면 나오는 빈 면에 읽으면서 표시한 곳의 페이지와 내용을 간략하게 적어두었다. 이렇게 해놓으면 나중에 중요한 곳을 다시 확인할 때 시간을 절약할 수 있다.

읽은 날짜를 적어두어도 좋다. 시간이 흐름에 따라 책 읽는 방법도 개선된다. 처음 읽은 때에는 별 감흥을 못 받은 책이 어느 순간 감명 깊은 책으로 바뀌기도 한다. 날짜를 기록해두면 자신의 독서 기술이 얼마나 향상되었는지 실감할 수 있다.

위와 같이 어떤 방식으로든 기록을 남기며 읽는 게 좋다. 그러기 위해서는 필연적으로 책을 사야 한다는 결론에 이른다. 도서관이나 친구에게 빌린 책에는 밑줄을 그을 수 없을뿐더러 무언가를 적어 넣지도 못한다.

이번 장의 전반부에서는 책에 메모를 적어 넣는 방법을, 후반부에서는 책에 국한하지 않고 메모를 통해 정보를 정리하는 방법을 소개하겠다.

어디에 밑줄을 그을까

밑줄을 그어가면서 책을 읽으면 왜 좋을까. 중고등학교 시절, 교과서나 참고서에 형광펜으로 색을 입히면서 내용을 암기한 경험이 있을 것이다. 당시에는 밑줄을 긋고 메모도 하면서 교과서 내용을 소화하려고 필사적으로 매달리지 않았던가.

어른이 되었다고 그 독서 방법을 바꿀 필요는 없다. 일반 도서를 읽을 때에도 과거에 교과서나 참고서를 활용한 것처럼 밑줄을 긋거나 메모하다 보면 책 내용이 머릿속에 지식으로 저장된다. 손에 넣은 책은 마음대로 다룰 수 있어야 한다.

그렇다면 책의 어디에 밑줄을 그어야 할까. 흔히 중요한 곳에 밑줄을 그으라고 하지만 솔직히 중요한 곳이 어딘지 모를 수도 있다. 그렇다면 우선 읽었을 때 신경 쓰이는 곳에 줄을 그어보자. 인상적인 글귀나 묘사, 대사 따위에 말이다. 그곳에 감상을 한마디 덧붙여도 좋다. 낙서의 연장이라 해도 좋을 정도의 가벼운 마음으로 밑줄이건 글자건 자유롭게 적다 보면 결과적으로 저자와 심리적 거리가 좁아지고 내용도 머리에 쏙쏙 들어온다.

단 오랜 세월 학교에서 배운 대로, 저자가 내용을 취합해 정리해놓은 곳에 선을 긋는 게 아님을 유의하자. 책 읽기의 목적은 내용을 요약하는 것이 아니다. 어디까지나 인상적인 곳에 밑줄을 그어야 한다.

교육학자인 사이토 다카시는 『3색 볼펜 읽기 공부법』(중앙북스)에서 세 가지 색 볼펜을 활용해 책 읽는 방법에 관해 제창했다. 책을 읽으면서 중요도가 높은 부분은 빨강, 중요도가 보통이면 파랑, 재미있는 부분에는 녹색 선을 긋는 방식이다. 이 중에서 녹색에 해당하는 곳이 내가 우선적으로 선을 그어도 좋다고 생각하는 곳이다. 나는 볼펜이 아니라 연필을 사용한다. 지우개로 지울 수 있기 때문이다. 방식을 바꾸어가면서 표시하면 되므로 세 가지 색을 모두 준비할 필요도 없다.

색을 바꾸는 방법도 괜찮지만 색 구분하기에 정신을 빼앗겨 버린 나머지 뇌의 활동이 둔해질지도 모른다. 통일과 규격화는 창조적인 활동의 최대 적이다. 그래서 나는 다음과 같은 방법을 쓴다.

1. 문장 아래에 선을 긋는다. 직선, 물결무늬, 이중선 등 다양

한 종류로 구분한다.

2. 「」나 『』로 묶는다.
3. 단락 전체를 네모로 두른다.
4. 책장 귀퉁이를 1센티미터 정도 접는다.
5. 선을 그은 곳이나 「」,『』 위에 ○, ◎, ☆ 등으로 표시를 남긴다.
6. + 표시와 함께 생각을 적어 넣는다.

위의 방식에는 특별한 규칙이 없다. 책을 읽다가 중요한 곳, 재미있는 곳 등을 구분할 수 있으면 된다. 엄격하게 규칙을 정해 반드시 지키려 집착하기보다는 한 권 안에 표시된 기호가 일관되기만 하면 된다.

'꼭 이렇게 해야 한다.'라는 강박관념에 사로잡힐수록 인간의 뇌는 굳어버린다. 색을 구별해 밑줄을 그어도 좋지만 색을 어떻게 구분해야 효과적일지 고민하다가 독서 자체에 집중하기 어려워질 바에야 아예 사용하지 않는 게 낫다. 책을 읽고 감동한다면 연필이건 빨간 펜이건 파란 펜이건 상관이 있겠는가. 감동한 곳을 구분하고 싶다면 '감'이라고 적은 후 동그라미를 두르기만 해도 충분하다.

한편 밑줄을 긋는 곳은 시간이 흐를수록 진화한다. 과거에 읽은 책을 나중에 다시 읽어보면 완전히 다른 곳에 감동하는 경우가 있다. 학습 수준이 높아질수록 밑줄을 긋는 내용도 질적으로 높아지는 것이다. 앞에서 책 한 권을 처음 읽을 때는 인상적인 곳에 선을 그으라 했는데, 결과적으로는 그 부분이 바로 글을 쓴 저자가 힘주어 말하고자 하는 포인트일 것이다. 순수하게 저자의 생각을 따라 읽으면 내용도 머릿속에 쉽게 들어온다.

두 번째로 책을 읽을 때는 독자인 본인 입장에서 중요한 의미를 갖는 부분에 밑줄을 긋는다. 이따금 자기 생각과 저자가 쓴 글의 내용이 다르면 그곳에도 밑줄을 그은 후 빈 곳에 반대 의견을 적어둔다.

만일 같은 책을 세 번이나 읽는다면, 이번에는 친구나 연인에게 들려줄 만한 재미있는 이야깃거리가 있는 곳에 밑줄을 긋고 싶을지도 모른다. 내 경우에는 세상 돌아가는 이야기를 소재로 쓰는 에세이의 재료가 대부분 이런 식으로 쌓인다. 시간과 함께 진화하는 것은 삶뿐만이 아니다. 가까이에 있는 별것 아닌 한 권의 책도 이렇게 책 주인과 함께 성장해간다.

심지어 나는 사전에도 한번 찾아보거나 읽은 곳에 연필로 밑줄을 긋거나 특별한 표시를 해둔다. 이렇게 하면 한동안 시간이 흐른 후 다시 읽을 때 금방 눈에 띈다. 같은 표현을 여러 번 찾았다는 것은 내가 일을 할 때 그 표현이 꽤 중요한 역할을 한다는 의미다. 게다가 처음 찾아보았을 때는 머릿속에 남아 있지 않았기에 반복해서 조사했을 것이다. 두 번째 세 번째에는 처음보다 훨씬 빠르게 머릿속에 저장된다. 고등학생 시절에 이런 식으로 영어사전을 새카맣게 만들었는데, 그 시스템을 모든 책과 사전에 활용하고 있다.

나만의 상호 참조 만들기

책을 어느 정도 읽어 개요를 파악한 다음에는 상호 참조(cross-reference)를 만들어 넣자. 이 방식은 책 속의 필요한 정보를 효율적으로 추출하도록 돕는다.

효과적인 아웃풋 작업을 위해서는 사전에 입수한 대량의 자료에서 현재 목적에 일치하는 정보를 가능한 한 신속하면서도 간단히 추려내야 한다. 그러기 위해 상호 참조 시스템을 만들어서 정보를 이리저리 오가며 확인하는 것이다. 이 방법은 이과 출신이 가장 자신 있어 하는 작업이기도 하다. 자신이 구사하기 쉬운 시스템을 빨리 확보하는 자가 승리하는 법이다.

상호 참조는 책의 마지막에 붙는 색인과 유사하지만 기능은 완전히 다르다. 색인은 특정 용어가 위치한 페이지를 찾기 위해 이용한다. 찾고 싶은 단어를 이미 알고 있는 경우에는 색인이 효과적이다.

이에 비해 상호 참조는 처음부터 용어가 정해져 있지 않을 경우 많은 용어와 개념 사이에서 관련성을 발견하고자 할 경우 힘을 발휘한다. 상호 참조는 책을 읽으면서 독자 자신이 만들어가는 자료 검색 방법이다.

읽는 사람의 목적에 따라 상호 참조 시스템은 제각각이다. 내가 하는 방법을 소개하자면, 나는 문장 속 용어 바로 옆에 관련된 페이지를 적어 넣고 괄호 처리한다. 예를 들어 책 27쪽에 있는 '남해 트로프 거대지진'과 69쪽에 있는 '서일본 대재난'이라는 용어가 연관되어 있다고 하자. 이 경우 '남해 트로프 거대지진' 바로 옆에 '(69쪽, 서일본 대재난)'이라고 적어 넣는다. 69쪽에도 같은 방식으로 '(27쪽, 남해 트로프 거대지진)' 이라고 기입하는 것이다. 이렇게 해두면 27쪽을 펼쳤을 때 69쪽에 있는 내용을 바로 찾을 수 있다. 즉 나중에 남해 트로프 거대지진이건 서일본 대재난이건 어느 방향에서든 바로 불러올 수 있도록 미리 만들어놓는 방식이 상호 참조다.

이렇게 설명하면 목차도 마찬가지 기능을 갖고 있음을 눈치채는 독자도 있을 것이다. 그렇다. 목차에 나온 큰 제목과 작은 제목을 보면 해당하는 곳의 내용을 예측할 수 있다. 그러나 조

책을 어느 정도 읽어 개요를 파악한 다음에는 상호 참조 시스템을 만들어 책 속 필요한 정보를 효율적으로 추출하도록 하자. 색인과 유사하지만 기능은 완전히 다르다. 상호 참조는 책을 읽으면서 독자 자신이 만들어가는 자료 검색 방법으로, 읽는 사람의 목적에 따라 제각각이다. 내 경우에는, 문장 속 용어 바로 옆에 괄호를 치고 관련된 페이지와 용어를 메모한다.

책 한 권 안에서 끝나지 않을 때도 있다. 다른 책과 연결된 독서를 할 때에도 이 시스템을 활용할 수 있다. 이런 작업을 계속하다 보면 자신이 보유하고 있는 도서들이 유기적으로 연결된다. 책장 전체가 세상에 단 하나뿐인 지적 세계의 네트워크를 구축하는 것이다.

사하고 싶은 용어가 전부 목차에 등장하지는 않는다. 또 목차는 저자가 만든 것이라 독자의 목적에 부합하지 못하는 경우도 있다. 이에 반해 상호 참조는 독자가 스스로 만든다. 독서 메모와 책의 일체화라는 의미가 내포된 것이다. 이는 일망법의 응용이기도 하다.

상호 참조는 책 한 권 안에서 끝나지 않을 때도 있다. 다른 책과 양다리를 걸쳐도 이 시스템을 활용할 수 있다. 이런 작업을 계속하다 보면 자신이 보유하고 있는 도서들이 유기적으로 연결된다. 책장 전체가 세상에 단 하나뿐인 지적 세계의 네트워크를 구축하는 것이다. 상호 참조를 만들면서 책을 한 권, 한 권 모아가는 즐거움을 느끼기 바란다.

상호 참조를 한눈에 볼 수 있는 구조

인터넷 검색을 이용해 용어의 뜻을 찾아내는 방법은 책 마지막에 나오는 색인에 해당한다. 이 경우 찾으려는 용어가 확정되어 있지 않으면 검색하지 못한다. 더욱 광범위한 검색을 하고 싶을 때 컴퓨터는 융통성을 발휘하지 못하는 것이다.

하지만 상호 참조를 이용하면 용어가 반드시 일치하지 않아도 된다. 관련된 용어나 개념을 모두 링크해두기 때문이다. 이렇게 하면 그물을 친 듯 필요한 정보에 저절로 도달할 수 있다.

관련된 내용에 어느 방향에서든 쉽게 접근할 수 있다면 얼마나 편리하겠는가. 아웃풋에 필요한 검색은 단일 용어로만 가능한 게 아니다. 키워드뿐 아니라 핵심 문장이나 때로는 관련 도표까지 검색할 수 있으면 유용할 것이다. 그러므로 처음부터 이것들을 서로 연결해 끄집어낼 수 있도록 시스템을 구축하면 된다.

앞서 언급한 남해 트로프 거대지진, 서일본 대재난의 예에서는 당장 검색할 수 있는 부분까지만 작업했다. 그다음 단계로 표지 뒷면 공란에 '남해 트로프 거대지진, 서일본 대지진(p.27, p.69)'이라는 타이틀을 간략하게 적는다. 이렇게 하면 표지만 펼쳐보아도 주요 개념과 페이지를 바로 파악할 수 있다. 본문 중에 나오는 남해 트로프 거대지진과 서일본 대재난에 더해 표지 뒷면까지, 세 가지 방면으로 관련 사항을 찾아볼 수 있는 것이다. 내가 소장하는 책의 표지 뒷면에는 이와 같은 메모가 적혀 있어서 몇 해가 지나 내용을 완전히 잊어버려도 필요할 때 정보를 빠르게 찾아볼 수 있다.

추출한 결과가 한눈에 들어오는 것이야말로 상호 참조의 가장 큰 특징이다. 처음부터 관련 사항을 한번에 파악할 수 있도록 설정해놓는 상호 참조는 관련 용어가 하나씩 늘어날 때마다 기입 공간도 늘어난다. 다시 말해 링크 대상이 많을수록 끌어모을 수 있는 정보가 고구마줄기처럼 줄줄이 늘어난다. 개성적이고 자유로이 활용할 수 있는, 세상에 유일무이한 나만의 책이 되는 것이다.

빨리 찾을 수만 있으면 된다

상호 참조를 만들 때는 깨끗하게 기록해야 한다거나 표기 방식을 하나로 통일해야 한다는 생각을 버리자. 가장 기본적인 스타일만 확보하면 그것으로 충분하다. 내가 '책은 문구로 사용하면 된다.'라고 입이 닳도록 말하고 다니는 이유는 책을 이처럼 굴릴 수 있어야 하기 때문이다. 게다가 상호 참조는 어디까지나 자신만을 위한 맞춤 도구다. 누구보다 본인이 재빠르게 검색할 수 있으면 그만이다. 어느 용어를 끄집어내느냐도 읽는 사람의 목적에 따라 다르다. 따라서 자신의 기호에 따라 상호 참조의 사양은 달라도 상관없다.

본인이 소장하고 있는 책은 모두 본인 사양으로 맞춤하자. '커스터마이징.' 이는 자기중심주의에 바탕을 두고 있으며, 효율을 높이기 위해 탄생한 방법이다.

상호 참조의 이점은 자신이 이미 발견한 정보를 나중에 찾을 때 그 시간을 줄이는 데 있다. 불필요한 시간을 최소화하는 시스템이다. 원하는 정보를 검색하느라 몇 시간을 허비한 경험을 누구나 해봤을 것이다. 사실 검색이라는 것이 지적 생산에는 얼마나 쓸데없는 작업인가. 물건이건 정보건 나중에 찾을 때 수고를 덜어내는 시스템을 사전에 만들어두는 게 바로 이과식 방법론이다.

상호 참조 만들기는 연필로 양쪽 페이지를 적어 넣기만 하면 되는 아주 간단한 작업이다. 컴퓨터로 파일을 만들기 위해 시간을 들일 필요가 없다. 때론 원시적인 방법이 시간을 가장 절약하는 길이다. 책이나 자료를 읽으면서 흥미로운 부분에 연필로 메모하면 그것만으로 상호 참조가 완성된다. 이 간단한 과정으로 편하게, 그리고 수시로 필요한 정보를 찾아낼 수 있다.

지적 생산에는 편리함이 으뜸이다. 이과식 키워드는 여지없이 '편리하게'와 '신속하게'이다. 따라서 책에 밑줄을 그을 때도 자를 대듯 정확한 선 긋기는 필요 없다.

이런 정보를 편하게 입수한 다음에는 뇌를 좀 더 창의적으로 사용해보자. 기존에 벌여놓은 일 때문에 에너지와 시간을 낭비해서는 안 된다. 더욱 본질적인 활동을 위해 소중한 뇌를 쉬게 하자.

아웃풋을 위한 필기: 목적별로 다른 곳에 적는다

이제부터는 책에 직접 적는 게 아니라 공책이나 메모지 등 다른 곳에 필기하는 방법을 설명하겠다.

어떤 내용이건 상관없으니 일단 적어두자는 것이 아니다. 목적을 분명히 정해서 그 목적을 달성하기 위한 기록이다.

나는 메모의 목적을 크게 셋으로 나눈다.

먼저 본업인 연구를 위한 메모다. 화산학을 전문으로 연구하므로 규슈나 홋카이도 등 국내 활화산이 있는 곳은 물론이고 하와이나 이탈리아 등 해외에도 현장조사를 하러 나간다. 길게는 3주 정도 숙박하면서 학술적인 데이터를 채집한다. 이 현장조사를 통해 모은 데이터를 빠짐없이 메모하고 언젠가는 논문으로 정리하는 것이 목적이다.

두 번째 목적은 원고 집필이다. 내 생각을 취합하거나 잡지와 책에 실린 글 중 필요한 문장을 인용하고자 할 때 메모한다.

세 번째 목적은 교육이다. 대학교 강의에 사용하는 노트에 미리 내용이나 자료에 관해 적어두는 것이다. 또 학생들을 지도할 때도 메모를 적어 나누어준다. 교수가 열 가지를 이야기해도 자리에 앉아 듣는 학생은 하나 정도밖에 흡수하지 못한다.

그러나 이야기와 함께 종이로 전달하면 학생들이 반복해 읽고 자신의 속도에 맞게 이해할 수 있다.

단 강의 시간에는 노트를 보지 않는다. 강의 노트는 머릿속 생각을 정리하기 위한 것이지 보면서 이야기하는 용도가 아니다. 학생들이 재미있어 할 만한 내용을 생생하게 전하는 게 우선이다.

강의는 살아 있는 시간이어야 한다. 강사가 아무리 훌륭한 강의 노트를 가지고 있다 한들 읽기만 하는 강의에 생기가 돌 리 없다. 듣고 있는 학생은 지루하기만 하다. 더군다나 메모는 중간 과정에 지나지 않는다. 극단적인 표현일지 모르지만 과정에 지나지 않는 메모를 남겨둘 필요는 없다. 나는 최종적인 아웃풋은 논문이나 저서, 강의라는 형식으로 남기므로 수단에 불과한 종이쪼가리는 폐기한다.

메모하기 자체를 좋아해 메모를 작성하는 과정에는 충실하면서 정작 중요한 아웃풋의 완성도가 그에 미치지 못하는 사람들도 있다. 기록한 노트 자체가 아름다운 작품이 되어버리면 오히려 머릿속에 남는 것이 없다. 필기에 에너지를 쏟아붓고 정작 정보는 머릿속을 스쳐 지나갈 뿐이라면 지적 생산의 도구로는 무용지물이다. 유명한 작가라면 손으로 적은 메모도 나중에 가치가 오를지 모른다. 그러나 평범한 사람이 적은 것은 그저 종이쪼가리일 뿐이다. 그 쪼가리에 적은 메모를 어떻게 보편적인 사고로 승화시킬 수 있는가가 성패를 가른다.

또한 메모하는 습관은 1차 정보를 자신의 머릿속에 정착시키기 위한 장치라는 사실도 강조하고 싶다. 메모와 메모 내용을 요약하는 것은 별개의 작업이다. 두 가지 작업을 한 번에 하지 말고 기록할 때는 기록 자체에만 집중해야 훨씬 알짜배기 메모를 할 수 있다.

이처럼 어떻게 하면 머리를 덜 쓸 수 있을지 늘 방책을 찾아야 한다. 머리 쓰는 일과 단순 작업을 극명하게 구분하는 것이다. 두뇌 노동을 절약함으로써 보다 질 높은 지적 활동을 끌어내는 것이 이과식 전략이다.

노트 사용법

어떤 정보를 기록하느냐에 따라 사용해야 할 도구가 달라진다. 노트와 메모지, 바인딩 노트로 나누어보자.

먼저 노트에는 연속성이 있는 내용을 기록한다. 예를 들면 한 학기 동안의 강의, 수차례 이어지는 강연회, 아침부터 저녁까지 여러 날 동안 진행되는 학회 등에서 듣는 것들을 기록하는 것이다. 동일한 주제 혹은 비슷한 내용의 정보를 연속적으로 정리한다.

메모하는 습관은 1차 정보를 자신의 머릿속에 정착시키기 위한 장치다. 메모와 메모 내용을 요약하는 것은 별개의 작업이다. 두 가지 작업을 동시에 하지 말고 기록할 때는 기록 자체에만 집중해야 훨씬 알짜배기 메모를 할 수 있다.

이처럼 어떻게 하면 머리를 덜 쓸지 늘 방책을 찾아야 한다. 머리 쓰는 일과 단순 작업을 극명하게 구분하는 것이다. 두뇌 노동을 절약함으로써 보다 질 높은 지적 활동을 끌어내는 것이 이과식 전략이다.

처음에 날짜와 시간을 적고 주제를 한 단어로 적는다. 키워드를 적어도 좋다. 책으로 말하자면 부제에 해당하는 내용이다. 이것만으로도 나중에 정리하기가 수월하다.

노트는 주제별로 나누어 여러 권 준비한다. 표지에는 큰 주제와 날짜를 적는다. 여러 날일 경우에는 기록한 날짜를 모두 표지에 적어둔다. 이렇게 하면 노트 표지는 편리한 인덱스(목차) 역할을 한다. 각 날짜의 주제, 즉 부제목을 적을 공란이 있다면 적어두는 게 좋다. 나중에 표지만 보고도 내용을 알 수 있도록 가능한 조처를 해두는 것이다. 여기에서도 한번에 조망할 수 있는가가 핵심이다.

글씨는 휘갈겨 써도 상관없다. 앞서 말했듯 메모는 아웃풋을 위한 중간 과정일 뿐이기 때문이다. 강연 등을 메모할 때에는 강사가 말하는 대로 받아쓸 수 있을 정도의 속도가 필요하다. 빨리 받아 적기에는 요령이 필요하다. 노트 안의 선 따위는 무시한다. 지우개는 사용하지 않는다. 오자는 줄을 그어 지우거나 검게 칠하면 된다. 속도를 내기 위해 불필요한 작업을 생략하는 것이다.

받아 적는 단어의 철자가 틀려도 고치지 않는다. 뇌와 손의 움직임을 멈추면 안 된다는 점을 의식하자. 글자는 나중에 읽을 수 있을 만큼만 깨끗하면 된다. 종이를 마음껏 사용해도 좋다. 언젠가 신문기자와 인터뷰를 했을 때 그 기자가 수첩에 가능한 많은 단어를 큼직하게 휘갈기면서 여러 장을 휙휙 넘기는 모습이 인상적이었다. 글자는 가로세로 1센티미터나 될 정도로 컸다.

정보 취득 방법은 무엇보다 자신의 성향에 최적화되어야 한다. 그런 다음에 가장 효율적인 방법을 찾아 조금씩 개선한다. 어지러워 보이더라도 중요한 내용을 적는 자기만의 방식을 찾는 것이 중요하다.

아웃풋에 그대로 사용할 수 있을 만한 키워드나 핵심 문장을 될 수 있으면 당시 표현으로 생생하게 적어둔다. 숫자나 인명, 연도 등도 가능한 한 적어둔다. 나중에 연대나 정확한 이름을 조사하는 작업은 생각보다 훨씬 많은 수고와 시간이 필요하기 때문이다. 물론 강연자가 착각하는 경우도 있으나, 그래도 정확한 정보에 도달하기 위한 실마리가 된다.

메모지 사용법

메모지는 어느 상황에서건 기억 저장소로 활용하기에 안성맞춤이다. 메모하는 습관은 내용을 잊지 않기 위한 최고의 전략이라 할 수 있을 정도다. 그러므로 메모지와 펜은 늘 손이 닿는 곳에 배치해둔다.

방금 "메모하는 이유는 내용을 잊어버리지 않기 위해"라고 했으나 사실은 정반대다. 메모지에 적어두면 잊어버려도 상관없기 때문이다. 기억은 메모지에 맡기고 뇌 용량을 비워두자는 것. 이과계 사람들은 어떻게든 뇌를 쓰지 않으려고 안간힘을 쓴다.

무언가를 적어 넣은 메모지는 제 임무를 다하면 바로 휴지통으로 들어간다. 하지만 작업이 끝날 때까지는 목숨을 연명한다. 지금 내 책상에도 아직 끝나지 않은 일과 관련된 메모지가 여기저기에서 목을 빼고 나를 쳐다보고 있다. 이렇게 은근슬쩍 압박을 가하면서 행동을 재촉하는 것이다. 적어놓은 메모지를 벽에 붙여도 좋다.

메모지 한 장에는 기본적으로 하나나 둘 정도의 정보를 적는데 때로는 복수 정보를 적기도 한다. 이때는 반드시 보고서 형식처럼 각 항목 앞에 기호를 붙여둔다. 특히 중요한 내용은 이중 동그라미를 그려 넣는다. 그리고 항목을 실행할 때마다 선을 그어 지워간다. 마지막 하나가 끝날 때까지는 버리지 않는다.

메모지에 적은 내용이 수주, 수개월 이상 걸리는 안건이 되기도 한다. 새로운 발상이 떠올랐을 때가 그렇다. 이럴 때는 완료될 날이 멀었으므로 메모지를 버리면 손해다. 이런 메모지는 내용이 딱 한 줄이라 해도 클리어 파일 안에 넣어 보관한다. 이 파일은 테마별로 서랍장(내 경우는 투명 플라스틱 상자)에 보관한다.

이때 메모지 낱장을 그대로 보관하지 않도록 주의한다. 반드시 클리어 파일, 서랍장이라는 시스템 안에 끼워 맞춰 놓는다. 나중에 주제와 관련된 메모지가 늘어나더라도 곧바로 해당 클리어 파일에 끼워 서랍장 안에 넣는다. 이 시스템의 핵심은 갑자기 떠오른 아이디어를 적어 보관해둘 곳을 준비하는 데 있다.

여기에서는 종이로 된 메모지 사용법에 관해 설명했지만, 스마트폰 등을 사용하는 경우에도 거의 같은 방식으로 이해하면 된다. 메모가 어느 정도 모이면 스마트폰에서 컴퓨터 하드디스크로 옮겨 정리한다. 이렇게 하면 메모 내용을 손쉽게 텍스트 파일 형태로 축적할 수 있다.

한 친구는 이 방법을 더욱 진화시켜 스마트폰에 음성으로 녹음한 다음 텍스트로 변환한 파일을 그대로 메일로 송신한다. 하나하나의 파일 내용이 쌓이면 방대한 정보다. 앞으로도 인터넷 환경은 대부분 바뀌겠지만 기록한 정보를 보관했다가 나중에 작업하는 시스템은 변하지 않을 것이다.

바인딩 노트 사용법

바인딩 노트는 공책과 메모지의 중간 형태다. 한 장씩 빼고 끼우기를 할 수 있는 바인딩 노트는 메모지와 같이 일회성 정보를 적어 넣으면서도 더 긴 내용을 소화할 수 있다. 예를 들면 단발성 강연회 필기록 등이다. 또 메모지보다 오래 보관한다. 특히 일반 노트라면 나중에 순서를 바꾸어 넣을 수 없지만 바인딩 노트는 자유롭게 순서를 끼워 넣을 수 있으니 편리하다.

바인딩 노트를 고를 때는 디자인이나 종이 질, 가격에 신경 쓸 필요 없다. 외출할 때를 비롯해 언제 어디에서건 쓰기 편한 것을 준비한다. 단 반드시 주제별로 다른 페이지를 사용하며, 앞면에만 적어야 한다는 점에 유의한다. 세 가지 테마가 있다면 종이를 세 장 사용하는 셈이다. 뒷면은 추가할 만한 정보를 적을 수 있도록 비워둔다. 잡지나 신문 기사를 오린 것이나 자료 복사본 등 옮겨 적을 필요가 없는 것은 그대로 스테이플러로 찍어둔다.

바인딩 노트에는 반드시 일련번호를 표시한다. 노트와 마찬가지로 날짜와 시간도 적는다. 하나의 주제에 바인딩 노트 여러 장을 할애한다면 마지막에 스테이플러를 이용해 묶는다. 이제 메모지를 보관하는 방법과 동일하게 클리어 파일, 서랍장 안에 넣는다.

바인더로 묶는 것은 그다지 효율적이지 않다. 그것보다 노트 낱장들을 그대로 스테이플러로 묶어버리는 쪽이 휴대성이 높아 편리하다. 바인딩 노트는 단발성 주제를 적기 위한 용도로 다른 주제의 클리어 파일에 간단히 옮길 수 있다는 기동성이 가장 큰 장점이다. 그런데 바인더로 묶어버리면 그 장점을 살리지 못한다. 스테이플러로 묶은 후 바인더에 넣어도 되지만, 가장 마지막에 생각해야 할 방법이다. 자료를 그대로 묵혀 사장시킬 가능성이 높기 때문이다. 바인더는 클리어 파일에 분류하기 전 휴대를 위한 용도로 쓴다.

바인딩 노트에 적은 내용 중에서 문장으로 완성해야 할 필요가 있는 것은 나중에 컴퓨터에 입력한다. 바인딩 노트 상태로 방치하지 말아야 한다. 메모지와 노트의 중간 형태라는 특징을 바꾸지 않는 게 좋다. 바인딩 노트에 적은 내용을 한데 모아 아웃풋을 위한 정보로 가공해두는 작업이 반드시 필요하다.

클리어 파일을 활용한 정보 관리

메모지나 바인딩 노트를 보관 및 정리할 때 효율을 높일 수 있는 클리어 파일을 알아보자.

클리어 파일은 투명한 플라스틱 재질로 위와 옆 두 방향만 뚫려 있는 폴더를 말한다. 내가 사용하는 사이즈는 A4다. 그림이 인쇄된 것은 사용하지 않는다. 앞뒤 모두 투명해서 안의 내용물이 훤히 들여다보이는 것을 고른다. 한 가지 안건이나 주제에 한 장의 클리어 파일을 사용하기 때문에 늘 200장 이상 사용하고 있으며 예비로 50장 정도 준비해두고 있다. 필기한 메모지나 바인딩 노트, 신문이나 잡지에서 오려낸 기사 등을 주제별로 분류해 클리어 파일에 넣는다.

그런 다음에는 항상 클리어 파일 단위로 정보를 관리한다. 진행 중인 안건에는 무조건 클리어 파일을 준비한다. 정리하는 요령이라 한다면, 내용별로 분류하지 않고 시간 순으로 배열하는 것. 투명 클리어 파일은 내용물이 잘 보이고 10개 정도라 해도 그대로 들고 이동할 수도 있다. 가필한 콘텐츠가 클리어 파일 안에 들어있는 채로 연구실이나 서재 안을 이리저리 돌아다니게 둔다.

최종적인 아웃풋 작업으로 보고서 등을 작성한 다음에는 장기 보관할 것들을 제외하고 모두 파기한다. 이것도 어느 정도 쌓이면 1년에 한 번꼴로 내용을 엄선해 2차 장기 보관용 클리어 파일에 넣는다.

이런 과정을 반복하면 메모나 자료가 점점 많아져도 차수가 늘어날 뿐 총량은 변함없다. 전체적인 양은 자신이 몸담고 있는 연구실이나 서재 크기에 비례한다. 그 이상은 들어가지도 않으며, 채 들어가지 못한 것은 버릴 수밖에 없다. 이런 밀어내기 시스템은 노구치 유키오가 지은 『초 정리법』(고려원)에 수록

된 '시간적인 밀어내기'와 결을 같이한다. 참고로 노구치는 봉투를 사용했지만 나는 안이 다 보이는 클리어 파일을 권한다.

신문·잡지 기사 정리법

나는 신문이나 잡지를 읽다가 중요하다고 생각하는 기사는 그 자리에서 오려낸다. 재미있을 것 같은 내용은 밑줄을 긋고 감상이나 키워드를 적은 후 매체명과 페이지까지 표시한다.

가위가 없는 상황에서는 표시한 페이지를 찢어 가지고 귀가한다. 남은 잡지는 버린다. 오려낸 기사는 한 장씩 바인딩 노트에 붙이고 메모지 정리법과 마찬가지로 클리어 파일에 넣어 정리한다.

또 신문 제호를 일일이 적기보다 나만 알 수 있도록 약자를 만들어두면 편리하다. 《요미우리신문》은 Y, 《아사히신문》은 A, 《마이니치신문》은 M이라고 쓴다. 더욱 구체적으로 들어가 조간이라면 m, 석간이라면 e라고 적어둔다. 그러면 'Ae', 'Ym' 등의 기호가 생긴다.

신문은 읽으면서 바로바로 관심 기사를 오려도 좋지만 주말에 일주일분을 한꺼번에 정리하는 방법도 좋다. 이 경우에는 신문 1면의 여백 등에 나중에 오려낼 기사들을 메모해두면 효율적이다. '3하'는 3면 하단, '2◎'는 2면에 기사가 둘 있다는 뜻이다.

기사를 오려낸 후 연관된 책에 끼워 넣는 것도 좋은 방법이다. 『파브르 곤충기』의 서평이라면 소장 중인 파브르 책 속에 끼워 넣는 식이다.

눈에 들어온 모든 정보는 필요할 때 바로 사용할 수 있도록 준비해둘 것. 다른 서류와 상호 참조를 해야 할 경우에도 오려낸 신문이나 잡지 귀퉁이에 해당 자료 이름을 적어두자.

메모하지 않는 독서도 중요하다

지금까지 독서 메모법에 관해 설명했다. 얼핏 모순되는 것 같지만, 필기를 하지 않고 책을 읽는 것도 중요한 과제다. 물 흐르듯 읽고 난 후 머릿속에 남은 내용만이 핵심이라는 심리학적 접근법이다. 메모를 하지 않아도 무의식은 필요한 내용을 흡수하기 때문이다.

오히려 기록하지 않을 때 무의식이 활동한다. 무의식을 발동해서 가볍게 끝까지 읽은 후 잠시 휴식을 취한 다음에 천천히 핵심을 정리해본다. 이것이야말로 오래 간직할 만한 귀한 정보를 모으는 기술이다.

이 기술은 독서 메모의 상급에 속한다. 먼저 기초적인 메모 독서법을 훈련한 다음에 무의식을 발동하는 방법에 도전해보자.

결국 이과식 독서법이란

이번 장을 정리하는 차원에서 두뇌 사고법에 관해 이야기하고자 한다. 지적 생산을 위해 발생하는 모든 과제는 시스템 안에 있다. '이과식 뇌 구조' 같은 추상적인 이야기가 아니라 구체적인 주제로 이해하기 바란다. 이과 사람들은 평소에 어떤 시스템을 이용해 생활하는지에 관한 이야기다.

여기에는 '요소마다 분해하기'와 '직접 실험하기'라는 두 가지 개념이 적용된다. 이과 사람들은 문제를 세세하게 분석하고 직접 도전하면서 이런저런 시행착오를 거쳐 시스템을 만들어 간다. 요소분해 더하기 실험이라는 방법론만 익힌다면 이과적인 사고가 가능하다. 그리고 시스템에 맡겨버리면 사고는 저절로 돌아간다. 앞서 등장한 '요소분해법'이다.

이 책에서 알게 된 이과적 방법들은 무엇보다 실천해보는 것이 중요하다. 시스템이란 것은 머리로 이해하기만 하면 쓸모없다. 일단 작동해보아야 한다.

어떤 일이건 행동해야 몸이 비로소 기억한다. 직접 도전해보면 이렇게 간단한 것이었나 하고 황당해할지도 모른다. 최신 컴퓨터도 사용하지 않으면 고철 상자다. 컴퓨터를 사용할수록 기능에 숙달되는 것처럼 시스템도 같은 방식이라 생각하면 된다.

이쯤에서 이과식 독서의 근간이 되는 사고법을 한 번 더 정리해보자. 가장 중요한 것은 어떤 방법이건 간단하지 않으면 안 된다는 점이다. 즉 현재 진행하고 있는 독서 방식보다 쉬운 것이어야 적용해볼 의지가 생긴다. 기존보다 에너지를 적게 쓰지 않는다면 굳이 새로운 방법을 쓸 필요가 없다.

이 책에서 소개한 미뤄두기와 불완전법은 가장 손이 덜 가고, 마음 편하게 독서할 수 있는 테크닉이라 해도 좋다.

원래 시스템을 변경하려면 막대한 양의 에너지를 소비해야 한다. 극단적으로 말하면 이것은 쓸데없는 에너지에 가깝다. 에너지를 아낄 만한 방법이 아니면 버려져야 마땅하다.

독서법에 관한 책은 줄기차게 등장하고 있다. 그중에는 잘 쓴 책도 있지만 도저히 해볼 엄두가 나지 않는 방법을 알려주는 책도 많다. 저자 자신은 굉장히 꼼꼼한 성격이라 성공했을 테지만 보통 사람은 독서가 더 싫어질 법한 방법도 부지기수다.

반면 이 책에서 제안한 방법들은 늘 편리함만 추구하는 사람을 위해 고안한, 이과적이면서도 슬렁슬렁 할 수 있는 독서법이다. 편리함 추구는 과학기술의 근본에 깔린 생각이다. 원래 이과 사람들은 편해지기를 꿈꾸는 종족이다. 게다가 '시스템으로 세계를 본다.'라는 마인드를 갖고 있다.

다시 말해 어떤 시스템을 만들어야 인간이 편해질 수 있는지 편리 추구는 과학기술의 근본에 깔린 생각이다. 원래 이과 사람들은 편해지기를 꿈꾸는 종족이고, 나아가 '시스템으로 세계를 본다'는 마인드를 갖고 있다.

시스템이란 것은 머리로 이해하기만 하면 쓸모없다. 일단 작동해보아야 한다. 하지만 가장 중요한 것은 어떤 기술이든 무조건 간단해야 한다는 점이다. 즉 현재 실행하고 있는 독서 방식보다 에너지를 적게 쓰지 않는다면 굳이 새로운 방법을 쓸 필요가 없다.

'인간은 에너지를 절약할 수 있는 기술만 받아들인다.' 이것이 핵심이다.

를 늘 모색한다. 그러니 이 책에 소개된 다양한 방법 중에 자신이 쓰고 있는 방식보다 손쉽고 효과적인 것만 채택해 실천해보면 된다.

사실 인간 활동의 모든 면에는 편리함을 추구하고자 하는 의도가 깃들어 있다. 인간관계에서도 에너지 소비를 줄일 수 있는 방법을 채택한다. 딱히 더 나은 방법이 없다면 지금까지의 방법을 고수하는 쪽이 훨씬 편하다. 다른 방법을 시도하는 것 자체가 에너지를 소비하는 일이기 때문이다.

'인간은 에너지를 절약할 수 있는 기술만 받아들인다.'

이것이 핵심이다.

여러 번 말했지만 나는 학생들에게 효과적인 독서 방법에 관한 질문을 많이 받는다. 속독인가 정독인가, 장시간 독서인가 단시간 독서인가, 메모를 하는 건 좋은가 나쁜가, 묵독인가 음독인가 등등. 나는 우선 자기 스타일을 찾아보라고 대답한다.

목적이 분명하고 세상을 넓게 볼 수 있는 방식이라면 무엇이든 상관없다. 중요한 것은 잡다한 정보를 머릿속에 집어넣기 위해 무작정 책만 파고드는 것이 아니라, 최종적인 목표가 지적 생산으로 이어져야 한다는 점이다. 물론 때로는 지적 소비를 위한 독서라도 상관없다. 어느 쪽이건 자신이 하고자 하는 것을 분명하게 정한 다음에 실천하는 독서가 이과식 책 읽기의 핵심이다. 역시 거듭 말하지만 그러기 위해서는 독서 스타일 자체를 스스로 만들어나가야 한다.

한편 독서법에서 굉장히 중요한 기술 하나는 바로 책을 '읽지 않는 것'이다. 나도 하루 종일 책만 들여다보진 않는다. 오히려 어떻게 읽어야 하나, 혹은 어디를 건너뛰어 한 권을 끝마칠까 궁리하는 데 많은 시간을 쏟는다. 이에 관해서는 보충수업을 통해 얘기해보기로 하자.

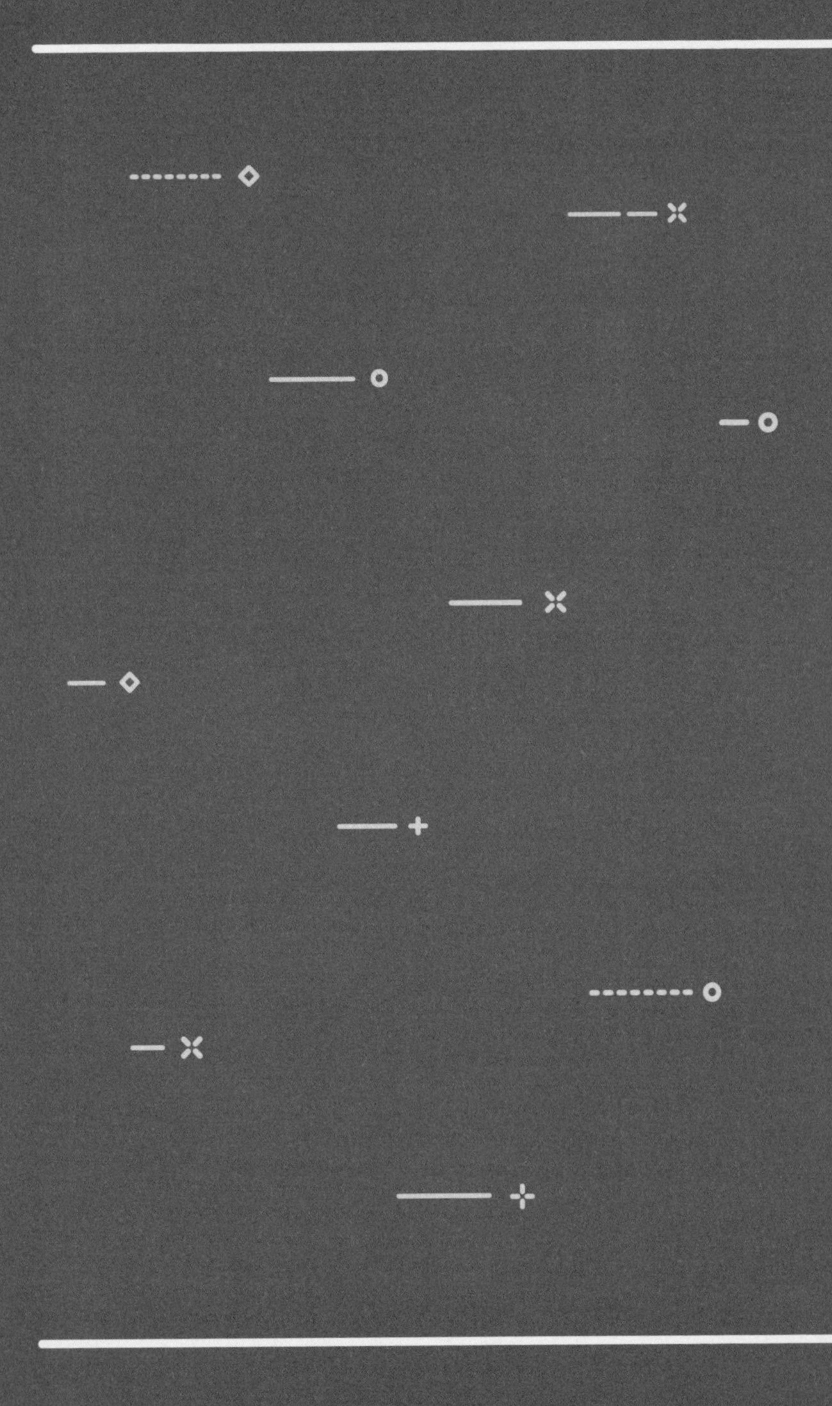

보충수업

8장

소유하지 않는 독서 인생

8장의 포인트

이미 가진 것을 활용한다
책 애장은 곧 사장으로 이어진다
삶이 방향이 바뀔 때 독서가 완성된다
'지금 여기'를 살아가기 위한 독서

마지막으로 지금까지 소개한 방법들을 아우르며 독서 기술의 미래에 관해 적어보고자 한다. 핵심 개념은 '읽지 않고 끝마치는 독서법'이다. 조금 과장해 말하자면, 책 속에서 허우적거리는 인생에서 탈출하는 방법이다. 이 이야기는 남의 이야기가 아니라 나 자신의 쓰디쓴 경험에서 비롯한 조언이자 제안이다.

순식간에 늘어나는 책 때문에 고민이 이만저만이 아니었다. 순식간에 늘어난다는 건 솔직히 거짓말이고 실상은 갖고 싶은 책을 줄기차게 사들인 탓이다. 그뿐 아니라 읽을 수 있는 양 이상의 책을 덥석 집어 온다. 책을 좋아하는 사람이라면 누구나 겪으면서도 모르는 척 덮어버리는 문제다.

앞서 1부에서는 읽지 못하는 부분을 건너뛰어도 좋다고 했다.

2부에서는 아웃풋을 우선하기 위해서 당장 필요한 부분이 아니면 읽지 마라, 휘리릭 넘겨버리고 가능한 적게 읽으라고 했다. 어느 쪽이건 읽지 않고 끝낼 수 있는 독서법을 지향한다.

말하자면 1부와 2부에서 제시한 것은 '맛있는 부분만 골라 먹는' 독서법이었다. 이 방법의 목적은 최대한 많은 정보를 수집하기 위함이었다. 여기에 익숙해진다면 독서를 괴로운 작업이라 생각하던 사람도 달라질 수 있으리라 생각했다.

8장은 1, 2부를 마스터한 사람에게 들려주고 싶은 내용이다. 기본적인 기술을 충분히 익히고 아무리 두꺼운 책이건 난해한 철학서건 예사롭게 넘길 줄 아는 독자를 위한 보충수업이다. 혹은 타고난 책벌레, 틈만 나면 책을 읽는 독서광들에게 전하는 메시지다. 그렇지 않은 독자는 이 장을 읽지 않고 덮어도 된다.

요즘 세상은 책을 많이 소유하는 것에 그다지 의미를 두지 않는다. 대부분의 책을 놀라울 정도로 쉽고 빠르게 손에 넣을 수 있기 때문이다. 일단 내 손에서 떠나보낸 책이라도 다시 사기 쉬워졌다. 대단한 희귀본이 아닌 이상 웬만해서는 다시 손에 넣을 수 있다는 말이다.

게다가 대여나 공유 시스템도 크게 발달해서 물건을 소유하기 위해 그다지 집착할 필요도 없어졌다. 이런 시대에 물질로서의 책은 점점 쌓이기만 하고 기동성만 방해한다. 책장에서 잠자고 있는 오래된 책들을 다시 읽을 기회란 사실 그다지 많지 않음도 대부분 알고 있다.

그렇다면 한정된 주거 공간을 압박하면서까지 책을 쟁여두어야 할 필요는 없다. 꼭 간직해야 하는 책만 남기고 될 수 있으면 집 안에 두지 않는 쪽이 현대에 걸맞은 생활방식일 것이다.

물론 생각만큼 쉬운 일은 아니다. 책이란 인류의 지적 유산이자 지식의 보물창고다. 아이러니하게도 이 보물창고에 휘둘리면 미래를 준비하는 움직임은 둔해진다. 그래서 과거에 의존하던 습관을 청산하기 위한 사고 혁명을 제안하고자 한다. 키프레이즈는 '스톡(stock)에서 플로우(flow)로'이다.

스톡에서 플로우로

스톡이란 경제용어로 '비축'을 의미한다. 플로우는 '흐름'이다. 현금 흐름을 중시하는 경영을 '캐시 플로우 경영'이라 한다. 캐시 플로우 경영에서는 아무리 자금을 빌려 써도 현금이 돌고 있는 동안에는 경영이 성립한다고 본다. 즉 스톡이 플러스건 마이너스건 그때그때 필요한 현금만 있으면 된다.

라이프 스타일에 비유하자면, 플로우형 라이프 스타일이란 불필요한 것은 버리고 필요를 최소한으로 줄이는 생활방식이다. 한편 스톡형 라이프 스타일은 필요 이상으로 물건을 모으는 생활 방식이다. 걸어갈 수 있는 거리를 이동하려고 자동차를 굴리거나 한밤중에 배가 고플 경우를 대비해 냉동식품을 쟁여놓는 등의 행위는 모두 스톡형 생활방식이다.

스톡과 플로우는 지구과학에서 다루는 테마이기도 하다. 지구의 역사는 물질의 스톡과 플로우를 반복해왔다. 우리가 사용하는 에너지의 대부분은 석유, 석탄, 천연가스와 같은 화학연료다. 석탄은 지하에 매장된 식물의 유해가 암석의 압력을 받아 변화한 것으로, 석탄이 되기까지 수천만 년이나 걸린다. 한편 석유는 생물의 유해로부터 생기기는 하지만 이 역시 수천만 년이란 세월을 거쳐 탄소와 수소를 포함한 화합물로 변화한 것이다.

석탄이 대량으로 채굴되기 시작한 시기는 18세기 산업혁명이 일어난 이후다. 석유를 이용하기 시작한 시기도 19세기 후반 이후다. 그로부터 인류는 석탄이나 석유를 어마어마한 속도로 소비하고 있다. 석탄을 주요 에너지로 사용하기 시작한 지는 약 300년, 석유는 고작 150년 흘렀다. 결국 인류는 지구가 만들어내는 10만 배의 속도로 석탄과 석유를 소비하고 있다는 뜻이다.

지금처럼 대량 자원을 계속 쓰기만 한다면 그리 멀지 않은 미래에 자원은 고갈된다. 이 어마어마한 과제를 해결하지 못하는 한 인류가 에너지 문제로부터 해방되는 일은 없으리라.

현대사회에서 화석연료는 모두 상품으로 팔리고 돈으로 돌아온다. 그런데 돈 자체가 거대한 비축의 대상이 되었다. 본래 돈은 물질과 교환하기 위한 도구에 지나지 않았고 날마다 생활을 지속할 수 있을 만큼만 벌면 충분했다. 그런데도 오늘날에는 많은 사람이 조금이라도 더 돈을 모으려고 몸이 망가지도록 일한다.

책도 같은 상황에 놓여 있다. 책을 좋아하는 사람들은 이미 책을 넘치도록 소유하고 있으면서도 꾸역꾸역 사들이려고 한다(나도 예외는 아니다).

브리콜라주의 가치

이쯤에서 문화인류학자 클로드 레비스트로스가 제안한 '브리콜라주'(bricolage, 프랑스어로 '손으로 하는 수리'를 뜻함)를 소개하고 싶다. 우리가 사는 현대사회는 급속한 진보를 이루었다. 이에 반해 아프리카나 남미에는 수천 년 동안 변치 않고 그대로인 사회가 있다. 레비스트로스는 이런 미개 사회를 연구하고 그들의 사회가 지극히 합리적이라는 놀라운 사실을 발견했다. '미개'라는 단어가 내포하는 열등함과는 동떨어진 삶이었다.

미개 사회에는 이미 가지고 있는 것을 활용해 씩씩하게 살아나가는 지혜가 있었다. 레비스트로스는 저서 『야생의 사고』(한길사)에서 브리콜라주라는 단어를 사용해 미개인들의 뛰어난 지혜를 소개했다.

미개인이 삶을 영위하기 위해 소유할 수 있는 것은 우리와 비교했을 때 아주 적다. 일상에 필요한 것을 얼마만큼 만들어내는가가 생사를 가른다. 예를 들어 테이블이 필요하다면 해변에 흘러들어온 나무를 몇 그루 주워 적당히 짜 맞춘다. 레비스트로스는 이 부분에서 크게 충격받고 공감했다.

사실 이 능력은 과학자에게서도 찾을 수 있다. 과학자는 실험이나 연구를 위해 당장 입수할 수 있는 재료들을 사용해 일단 시도해본다. 실험도구뿐 아니라 컴퓨터 프로그램이나 수학 이론까지 사용할 수 있는 것은 모두 동원해 지혜를 짜낸다. 제한된 환경 속에서 일을 진행하는 능력이 있으면 어떤 현장에서도 도움이 된다. 미개인이 살아남은 지혜에는 범용성이 잠재돼 있다.

인류도 실제 존재하는 것을 이용해 살아남았다. 문명이 발달하면서 인간은 비로소 설계도를 그리고 그 설계도를 바탕으로 필요한 재료를 모아 조합하는 '엔지니어링'을 통해 도구를 만들기 시작했다. 그러나 브리콜라주를 잊어버린 것은 아니다. 쉬는 날 집에서 무언가를 만들어내지는 못한다 해도 냉장고를 열어 남아 있는 재료들로 단품요리 정도는 완성할 수 있다. 우리는 지금도 브리콜라주를 실현한다.

그러나 단적으로 말해 현대 인류에게 필요한 것은 엔지니어링보다 브리콜라주다. 존재해야 할 가치로부터 거슬러 올라가 부족한 것을 채워 넣는 것이 아니라, 지금 수중에 있는 것을 활용하며 최선을 다하는 것. 그것이 끊임없이 변화하는 세상에서 살아남을 지혜이자 본래 야성을 되찾기 위한 방안이다.

책을 포기하는 용기

지금 있는 것들에 눈을 돌려야 한다는 사실을 머릿속으로는 이해하지만 부족함에 더 신경 쓰인다면 '내게 부족한 것은 없어. 필요한 것은 이미 모두 갖추어져 있어.'라고 되뇌며 마인드 컨트롤을 해보면 어떨까.

오늘날 대부분의 베스트셀러는 '곤란에 직면하면 새로운 기술을 습득해 해결하자.'고 핏대 세워 주장한다. 그러나 생각해보자. 지금까지 모아온 예금이나 적금은 무시하고 갑자기 대출을 받으라는 것과 다를 게 있는가. 곤란한 상황에 처해도 당황할 필요는 없다. 그것을 극복할 지혜는 이미 우리 내면에 깃들어 있기 때문이다. 독서도 마찬가지다.

이제부터는 '스톡에서 플로우로'라는 라이프 스타일, 즉 플로우형 독서 인생을 살아보면 어떨까. 플로우형 생활의 첫걸음은 무소유다. 자신이 가진 것 중에 지금 사용하지 않는 것은 무조건 버려보자. 나도 스톡형 생활에 의문을 갖기 시작하면서 미니멀리즘을 추구하려고 노력 중이다. 많은 물건을 처분했는데, 그중에서도 가장 큰 비중을 차지한 것이 책이었다.

애장 도서를 사장시키다

독서를 좋아하는 사람이라면 잘 알겠지만 책은 부피를 차지하기 때문에 텅 빈 책장을 마련해도 금방 차버린다. 우리 집도 서고가 진즉에 꽉 찼기 때문에 언제부터인가 간이 창고를 빌려 책을 보관했다.

'책을 끔찍이 좋아하지만 이대로 보듬어 안는다고 의미가 있을까?' 그런 의문이 싹트기 시작할 무렵 이미 창고는 열 곳으로 늘어 있었다. 처분하느냐 마느냐로 저울질하던 내 등을 밀어준 것은 책에 핀 곰팡이였다. 창고가 지하에 있어서 바람이 잘 통하지 않았는지 곰팡이가 생겨버린 것이다.

나는 책을 애장하고 있다고 생각했다. 그런데 실제로는 곰팡이가 피어서 사장할 지경까지 온 셈이었다. 만족하는 사람은 나 혼자였고, 책 자체는 활약할 무대를 잃고 썩어가고 있었다. 아끼고 보듬어야 할 책을 사장할 바에야 많은 사람이 읽어주면 좋겠다는 소망으로 그 많던 책을 모두 중고서점에 넘겼다.

책은 자료로서의 가치가 있다. 그래서 버리기 전에는 일에 지장을 주는 게 아닐까 불안하기도 했다. 그러나 처분한 책에서 인용할 정보가 필요한 적은 거의 없었다. 솔직히 필요한 경우도 있었으나 인터넷 서점에서 금방 다시 구했다. 재입수한 책은 또 내 손에서 놓아줘 시장에 흘러 들어가고 그 책을 필요로 하는 사람 품으로 들어간다. 이처럼 책에 관해서는 필요할 때만 사용한다는 플로우 구조가 서서히 자리 잡았다.

책을 처분해 오히려 다행이라고 생각한 적도 있다. 처음에는 창고에 있었던 책을 모두 팔 생각이었다. 그러나 정리하는 와중에 이것만은 도저히 팔지 못하겠다는 책이 몇 권이나 나왔다. 지금 떠나보내고 싶지 않다는 것은 현재 내게 필요한 책이기 때문일 것이다. 창고에 쟁여두기만 할 때는 그 책의 존재조차 깨닫지 못하지 않았나. 내 인생에 정말 필요한 책이 이런 식으로 나를 찾아오기도 한다.

플로우형 삶이 중요하다는 것을 어렴풋이 깨닫기만 하다가 창고에서의 실패를 경험한 후 막연하게 품고 있던 또 다른 의문에 답을 내기로 했다.

'내가 지금 활용할 수 있는 것 이상은 포기하자.'

이 말은 공간적인 의미와 시간적인 의미로 나뉘는데, 이는 6장에서 설명한 버퍼와 같은 맥락이다. 여기에는 '스스로 기억할 수 있는 범위'라는 의미도 포함된다. 내 경우에는 '다음 저작물에 도움이 될 만한 책'이라는 것도 책을 활용하는 범위를 정하는 기준이 되었다. 배우자 등 함께 살고 있는 파트너가 있는 경우에는 상대의 기분을 맞추는 게 기준이 될지도 모른다. 혼자 사는 사람이라면 자기 방의 규모가 기준이 될 것이다. 방에 짐이 가득해도 신경 쓰지 않는 사람은 모든 공간을 활용할 수 있다는 뜻이다. 내 친구 중에도 있는데, 책을 겹겹이 쌓아둔 다실은 마치 잠수함 같다. 그는 그래도 지극히 만족해하니 그거면 된 거다.

그런데 이 친구를 비롯해 수많은 책을 소유한 사람들은 대지진이 발생하면 과연 살아남을 수 있을까. 전문가로서 말하자면 2030년대에는 남해 트로프 거대지진(서일본 대지진)이 반드시 찾아올 것이며 직하형 지진은 일본 열도 어디에서 일어나도 신기한 현상이 아니다.

나는 책을 애장하고 있다고 생각했다. 그런데 실제로는 곰팡이가 피어 사장시키는 지경까지 왔다. 스톡에 만족하는 사람은 나 혼자였고 책 자체는 활약할 무대를 잃고 썩어가고 있었다.

책은 자료로서의 가치가 있다. 그래서 버리기 전에는 일에 지장을 주는 게 아닐까 불안하기도 했다. 그러나 처분한 책에서 인용할 정보가 필요한 적은 거의 없었다. 솔직히 필요한 경우도 있으나, 요새는 인터넷 서점에서 쉽게 중고책을 구할 수 있다. 다시 입수한 책은 또 내 손에서 놓아줌으로써 시장에 흘러들고, 그 책을 필요로 하는 사람 품으로 간다. 이처럼 책에 관해서는, 필요할 때만 사용한다는 플로우 구조를 서서히 정착시키고 있다.

어쨌거나 나는 내가 활용할 수 있는 범위라는 기준을 스스로 부과해 책을 정리하기 시작했다. 솔직히 말하면 '이제야 시작했다.'라는 느낌이다.

그러다 보니 신기하게도 책뿐 아니라 의복이나 문구, CD나 DVD 등도 정리할 수 있게 되었다. 나는 옷을 좋아해서 마음에 들면 충동구매를 해버린다. 교토대에 부임한 이래로 보너스를 받으면 거의 옷을 사는 데 써버렸다. 그 결과 입지 못할 옷이 수두룩했지만 그것들은 제자들에게 나눠주기로 했다. 결국 활용할 수 있는 범위만 확정되면 흘려보내는 삶을 추구하면서, 물건을 쌓아두는 사태에서 해방될 수 있다. 최근에는 마음 놓고 새로운 책이나 CD, 옷을 산다.

있는 것을 활용하는 플로우형 인생

지금 있는 것들을 활용하는 삶은 이상적이지만 말처럼 쉬운 일은 아니다. 사람은 늘 부족한 곳으로 눈이 가게 마련이다.

책을 예로 들어보자. 독서를 좋아하는 사람은 신간이 나오면 흥미가 생기고 조금이라도 필요성을 느끼면 꼭 손에 넣고 싶어 한다. 만일 품절이거나 절판이라도 되면 중고서점을 일일이 찾아다니거나 인터넷 중고서점에서 주문하기도 한다. 만일 손에 넣지 못하면 책을 입수했을 때의 기쁨을 상상한다. 여기에는 지적 유산이라는 아름다운 문구에 가려진, 소유를 향한 깊은 갈망이 잠재해 있다.

입수하지 못한 책은 포기하고 입수한 책으로 만족하기란 의외로 어렵다. 장서의 강박으로부터 해방되기 위해서는 이상적인 서재를 꿈꾸는 것이 아니라 지금 있는 것에 만족하는 발상이 필요하다. 그것을 실천하면 자연스레 플로우형 독서 인생을 살게 된다. 굳이 말하자면 삶을 훨씬 잘 살아가려는 노력과 플로우형 라이프 스타일은 한 몸에 있는 머리와 꼬리다.

지금 있는 것에 충분히 만족하다 보면 플로우형 라이프 스타일을 저절로 추구하게 된다. 욕심을 버린 삶에 행복을 느낄 수 있다면 점차 과거에 집착한 삶에 매력을 덜 느끼게 될 것이다. 이렇게 플로우형 독서는 1, 2부에서 서술한 독서법을 근본적으로 넘어서는 것이다.

자기계발서가 내리막길을 걷는 이유

여기에서 목표 달성에 초점을 맞춘 자기계발서의 가치에 대해 생각해보자. 요즘 서점에 진열된 자기계발서에는 기존에 보이던 열정이 사라진 듯하다. 전체적인 도서 매출이 슬금슬금 내리막길을 걷고 있는 상황에 자기계발서도 예외 없이 저조한 판매 부수를 기록하기 시작한 것이다.

도대체 왜 자기계발서가 비인기 도서가 되었을까. 원인은 두 가지라고 본다. 하나는 자기계발서의 근간에 흐르는 사상에 독자가 의문을 갖기 시작했다는 점. 또 하나는 그 사상을 믿는다 해도 배운 것을 실행하기에 지쳐버렸다는 점이다.

그럼 자기계발서의 근간에 흐르는 사상이란 무엇일까. 그것은 미래를 컨트롤할 수 있다는 자신감이다. 많은 자기계발서 저자는 자신이 이상으로 정해놓은 목표를 제안한다. 그 후 목표에 도달하기 위해 부족한 것을 가려 계획을 세우고 실행한다. 그렇게 하면 반드시 이상을 실현할 수 있다는 이론적인 내용이 적혀 있다. 말하자면 계획주의 혹은 관리 중심 사고방식이다. 시간 관리나 프레젠테이션 기술 등, 모든 것이 컨트롤 가능하고 올바르게 관리하면 어떤 목표건 달성할 수 있다는 생각에서 파생한다.

주로 기술적인 부분에서 도움을 주는 책이 있다면 의식 면에서 도와주는 책도 있다. '이렇게 마음먹으면 인간관계가 좋아진다,' '이렇게 바꾸면 인생이 잘 풀린다'는 식으로 마음가짐을 바꾸면 이상을 손에 넣을 수 있다고 주장한다.

수많은 책이 일이나 인생에서 사물을 올바르게 관리하거나 의식을 바꾸면 성공할 수 있다고 독자를 설득한다. 그중에서도 특히 자기계발서는 이같은 생각을 바탕으로 독자에게 꿈을 주고 자기 성장을 부추겨왔다.

그러나 오늘날 독자들은 이런 생각에 의문을 품기 시작했다. 이상을 실현하고자 아무리 계획을 치밀하게 세워도 그것이 원론적인 고민으로 그치지는 않을까 생각하게 된 것이다. 세상은 더욱 불확실한 것들로 가득 차고 미래는 절대로 생각한 대로 다가오지 않는다. 만반의 준비를 했다고 해도 실생활에서는 예상외의 사건이 일어날 수 있다. 그런 현실을 눈앞에 마주하면 계획주의에만 의존하던 사람들은 의문을 품을 수밖에 없다.

'지금 여기'를 살아가는 독서

앞서 언급한 곰팡이 사건으로부터 시간이 흐르자 또다시 책이 불어나기 시작했다. 도로아미타불이다. 이때 누군가로부터 충격적인 이야기를 들었다.

"학자는 모두 과거에 축적한 지식으로 살아가죠. 앞으로는 내일을 살아보는 게 어떻습니까?" 소장 도서는 과거 인류의 지적 유산이므로 거기에서 탈피하는 일을 하는 게 어떻겠냐는 뜻밖의 제안이었다.

나는 이 조언을 따라보기로 마음먹었다. 우선 내 주위에 있는 책 중 90퍼센트를 밖으로 끄집어냈다. 그리고 연구실의 빈 공간 중 정년퇴직까지 쌓일 책들을 제외한 곳에, 집에서 끄집어낸 책들을 쌓아두었다. 퇴직할 때는 도로 가져가지 않겠다는 각오로 정말 필요한 책만 이 기간에 선별하기로 작정했다.

오랫동안 묵혀두었던 장서들을 꺼내보니 책이 갑자기 가볍게 느껴져 놀랐다. 더욱더 놀랍게도 그 책들이 없어도 별 어려움을 겪지 않았다. 미래로 나아가기 위해서는 책이 없어도 괜찮았던 것이다.

이때부터 지금까지와는 180도 다른, 새로운 책과의 인연이 시작되었다. 내가 느끼기에도 신기한 체험이었다. 핵심은 과거에 쌓아 올린 것들에 집착하지 않고 미래를 보자는 사고다. 예상외라는 개념을 책 읽기 방법에 반영한다는 의미이기도 하다.

애초에 독서란 행위는 읽는 사람에게 일말의 변화가 일어날 때 비로소 가치가 있다. 즉 삶의 방향이 바뀌어야 독서가 완성된다. 문자를 따라 읽어가며 지식만 쌓는다고 인간의 내면은 달라지지 않는다. 지금까지 살아오던 자신과 다른 삶을 선택할 정도로 감동했을 때 독서라는 체험은 비로소 숨을 쉬는 것이다.

책과 우연한 만남이 사람을 눈에 띄게 성장시키는 것. 책을 읽으면서 그때마다 자신을 바꾸는 일. 이런 경이로운 체험은 거의 생기지 않지만, 필요한 순간에는 반드시 그런 날이 찾아온다.

그리고 자신을 바꾸기 위해서는 과거의 테두리에 얽매이지 않아야 한다. 이를 위해서는 큰 힘이 필요하다. 변혁의 에너지를 불어넣어 오랜 시간 천천히 바꾸어가야 한다. 이를 실현하려면 책 읽기 자체를 진검 승부로 봐야 한다. 변혁을 경험할 수 있는 독서법이야말로 최고의 독서이자 독서의 종착역이라 해도 좋다. 책에서 얻은 교양이 피와 살이 되는 것이다.

내가 새롭게 수립한 책 읽기의 목적은 '지금 여기'를 살아가는 라이프 스타일로의 전환이다. 지금 여기를 살아간다는 말은 보이지 않는 것만 추구하지 말고 현실을 그대로 받아들이자는 삶의 태도다. 있는 그대로 받아들인다 하면 마음에 들지 않는 것도 참아야 한다는 의미로 해석하는 사람이 있을지도 모른다. 그러나 '지금 여기'란 말은 더욱 적극적이고 주체적인 태도를 말한다. 대다수의 사람은 이런 삶의 방식을 포기하지만, 나는 이 삶의 방식 변화에 독서의 역할이 상당히 크다고 생각한다.

일본에는 '없는 소매는 흔들지 못한다'라는 표현이 있는데, 여기에서 '흔들지 못한다'를 '흔들지 않는다'로 바꾸어보자. 흔

우연히 만난 책이 사람을 눈에 띄게 성장시킨다거나 책을 읽을 때마다 자신이 변화한다거나 하는 일은 자주 생기지 않지만 필요한 순간에는 반드시 그런 날이 찾아온다. 그리고 자신을 바꾸기 위해서는 과거의 틀에 얽매이지 말아야 한다. 이를 위해서는 큰 힘이 필요하다. 변혁의 에너지를 불어넣어 오랜 시간 천천히 바꾸어가야 한다. 이를 실현하려면 책 읽기 자체를 진검 승부로 봐야 한다. 변혁을 경험할 수 있는 독서법이야말로 최고의 독서이자 독서의 종착역이라 해도 좋다.

들지 못한다고 하면 수동적이지만, 흔들지 않는다고 하면 능동적인 자세로 바뀐다. 똑같이 흔들지 못할 바에야 부정적인 시각이 아니라 긍정적으로 바꾸자는 것이다.

이것을 심리학에서는 '감수성의 각도를 바꾼다'고 표현한다. 똑같은 사실이라 하더라도 감수성의 각도, 즉 시점을 바꾸어보면 상황도 달라진다. 그리고 없는 소매는 흔들지 않는다는 관점은 있는 소매만 흔들면 된다는 관점으로 이어진다. 부족한 것에 초점을 맞추어 짜증을 키우기보다 '있는 것을 모아서 어떻게든 충당한다'는 생각으로 전환하는 것이다. 앞에서 말한 브리콜라주와 이어지는 이 방법은 '긍정적으로 포기하기'라는 말도 된다.

부족한 상황을 참기보다 지금 있는 것을 어떻게 살릴까 설레는 마음으로 기대하는 이미지를 그려보자. 모든 것의 출발점이 여기에 있다.

포기해야 할 대상은 지나버린 과거다. 플러스건 마이너스건 질질 끌어온 과거를 버리는 순간 새로운 세계가 열린다. 훌훌 털고 일어나 지금 가진 것들에 충실하는 것, 그것이 지금 여기를 살아가는 방법이다. 독서에 대해서도 자신의 감성에 맡겨 선택한 책을 지금 여기에서 읽기 시작하자.

그러는 사이에 책에 갖는 집착이나 독서에 대한 강박이 서서히 흐려질 것이다. 그리고 가장 나다운 독서법이 탄생할 것이다. 책이란 인류가 과거에 남긴 놀라운 유산이지만 그럼에도 지금 여기에 남아 있는 것만 미래로 이어가자. 이것이 독서법의 진정한 완성이다.

나가며

독서법을 소개하는 책은 끊임없이 출간되고 있다. 나 역시 독서법 책들을 사서 읽으며 다양한 방법을 배우고 또 즐긴다. 하지만 책에서 제안하는 독서 기술 중에는 실생활에 적용하기 어려운 내용도 많다. 대단히 효과적이고 강력하긴 하지만, 상당한 에너지가 필요한 읽기 방식을 소개하고 있기 때문이다. 그런 아쉬움이 있었기에 이 책에서는 '이건 해볼 만해.'라고 할 만한 기술만 압축해 설명했다.

독서를 방해하는 최대 장벽은 마음의 벽이다. 쓸데없는 오해가 책과 나 사이에 선을 긋고 편안한 독서를 방해한다. 혹은 자신의 지위나 명예가 벽을 만들기도 한다. 이런 부분은 냉정하게 덜어냈다는 점이 이 책의 특색이라고 할 수 있을 것이다.

예를 들어 고전을 읽으려면 원전이 아니면 안 된다고 힘주어 말하는 학자가 있는데, 내가 보기에 그것은 무모한 시도다. 원전을 읽는답시고 세 페이지쯤 넘기다가 손을 들어버리는 사람이 얼마나 많은가. 또 원전을 읽기 전에 해설서를 읽는 것은 부끄러운 일이라고 무시하는 학자도 있는데, 이 역시 틀렸다고 생각한다. 읽기 쉬운 가이드에 의지하면서 내용을 먼저 파악하는 쪽이 나중에 원전에 훨씬 편하게 접근할 수 있기 때문이다.

원전을 풀어가는 것은 분명 고전을 학습하는 올바른 길이지만 그것은 나중으로 돌려도 상관없다. 여기에서 초심자에게 왕도를 들먹이는 것은 불합리하고 편협하다. 이런 가치 판단을 배제하고 책에 접근하면 독서는 훨씬 친근하고 즐거운 행위가 될 것이다.

독서 초심자에게 독서가 고행인 이유는 본인의 실력이 부족한 탓이 아니다. 또 활자를 눈으로 따라 읽는 속도가 느리기 때문도 아니다. 나는 독서가 어려운 가장 큰 원인이 '마음의 장벽'임을 어렴풋이 느끼고 있다가 이 책을 쓰면서 더욱 확신하게 되었다.

덧붙여 과학 작업은 현상을 냉정하게 직시하는 것, 감정을 이입하지 않고 작업하는 것, 가치관을 쓸데없이 끼워 넣지 않는 것이어야 한다. 이를 바탕으로 한 방법론으로 독자들이 책에 쌓인 마음의 응어리를 조금이라도 해소할 수 있기를 바랐다.

내가 제시한 독서법들은 기초 중에서도 가장 기초라 해도 과언이 아니다. 독서에 대한 감수성의 각도가 조금 바뀌면 지금까지 어렵게만 느끼던 책도 좀 더 편하게 읽을 수 있다. 부디 이 책을 통해 책 읽기와 조금이라도 가까워지면 좋겠다.

마지막으로 이 책의 기획에서 완성까지 수고를 아끼지 않은 편집부의 오노 카즈오 씨에게 진심으로 고마움을 전한다.

가마타 히로키

초판 1쇄 발행 2019년 8월 23일
초판 3쇄 발행 2022년 9월 5일

지은이 가마타 히로키 **옮긴이** 정현옥

발행인 이재진 **단행본사업본부장** 신동해
책임편집 김경림 **교정** 주소림 **디자인** 데시그 윤설란
마케팅 최혜진 **홍보** 최새롬
국제업무 김은정 **제작** 정석훈

브랜드 리더스북
주소 경기도 파주시 회동길 20
문의전화 031-956-7429(편집) 031-956-7567(마케팅)
홈페이지 www.wjbooks.co.kr
페이스북 www.facebook.com/wjbook
포스트 post.naver.com/wj_booking

발행처 ㈜웅진씽크빅
출판신고 1980년 3월 29일 제406-2007-000046호

ISBN 978-89-01-23450-2 03320

리더스북은 ㈜웅진씽크빅 단행본사업본부의 브랜드입니다.